FAIRE SA CARTE DU CIEL

Couverture

- Maquette et illustration:
  GAÉTAN FORCILLO

Maquette intérieure

- Conception graphique:
  ANDRÉ LALIBERTÉ

Équipe de révision

Jean Bernier, Michelle Corbeil, René Dionne, Louis Forest, Monique Herbeuval,
Hervé Juste, Jean-Pierre Leroux, Odette Lord, Linda Nantel,
Paule Noyart, Normand Paiement, Jacqueline Vandycke

DISTRIBUTEURS EXCLUSIFS:

- Pour le Canada:
  AGENCE DE DISTRIBUTION POPULAIRE INC.*
  955, rue Amherst, Montréal H2L 3K4 (tél.: 514-523-1182)
  *Filiale de Sogides Ltée
- Pour la France et l'Afrique:
  INTER-FORUM
  13, rue de la Glacière, 75013 Paris (tél.: 570-1180)
- Pour la Belgique et autres pays:
  S. A. VANDER
  Avenue des Volontaires, 321, 1150 Bruxelles (tél.: (32-2) 762.98.04)

John Filbey

FAIRE SA CARTE DU CIEL

Les techniques fondamentales de l'astrologie enfin révélées

Traduit de l'anglais
par
Geneviève Boyer

Ce livre a été publié en anglais sous le titre:
Natal Charting
par The Aquarian Press, Wellingborough, Northamptonshire
(ISBN original: 0-85030-246-3)

Bibliothèque nationale du Québec
Dépôt légal — 1er trimestre 1985

ISBN 2-89044-173-3

REMERCIEMENTS

Je tiens à remercier W. Foulsham & Cie de la permission que l'on m'a donnée de reproduire certaines pages des *Raphael's Ephemeris 1980* (éphémérides) et des *Tables of Houses for Northern Latitudes* (tables des Maisons pour les latitudes nord).

Je remercie également le Directeur de publication de Her Majesty's Stationery Office de m'avoir accordé la permission de reproduire les horaires mondiaux tirés du *1980 Nautical Almanac* (almanach nautique).

Mes remerciements vont également au Conseil de la Faculté des études astrologiques qui m'a autorisé à utiliser ses formules de thèmes.

Des remerciements tout spéciaux à P. M. Filbey, B. Sc., pour son aide inestimable dans la compilation de l'information astronomique et lors du tracé des diagrammes, ainsi que pour ses conseils sur la présentation de plusieurs tables de calcul.

Je suis également redevable à ma femme de ses efforts patients lors de la lecture du manuscrit et de ses nombreuses suggestions constructives.

S'il y a des erreurs, et j'espère qu'il y en a peu, elles sont mon entière responsabilité et le lecteur voudra bien m'en excuser d'avance.

L'astronomie est excellente; mais elle doit se révéler dans la vie pour y avoir sa pleine valeur, et non pas rester dans les sphères et les espaces.

EMERSON

Les étoiles, aux lampes remplies d'huile éternelle, que la Nature a suspendues dans le ciel pour donner la lumière aux errants et aux voyageurs solitaires.

MILTON

De là partent les tangentes
Du cercle que tracent les planètes
Pour déverser sur le monde leur influence souhaitée.

DANTE

INTRODUCTION

Le but de ce livre est d'essayer de présenter, de façon simple, les principes fondamentaux qui sont à la base de la théorie et de la pratique du calcul des thèmes natals. Cet ouvrage a été conçu pour aider ceux qui cherchent à acquérir une certaine compétence dans le calcul de ces thèmes, et également dans la compréhension des différents éléments qui entrent dans la technique de l'astrologie.

Point n'est besoin de comprendre la structure astronomique, ni les concepts mathématiques en fonction desquels on fait un thème astrologique. Cependant, il est beaucoup plus satisfaisant de connaître les raisons des différents calculs plutôt que de travailler aveuglément par la méthode empirique.

Si le thème natal n'est pas précis, tout le travail d'interprétation et d'analyse qui suivra sera peine perdue à cause des déductions incorrectes qui en seront tirées, ce qui provoquera des critiques justifiées, non seulement à l'endroit du praticien, mais de l'astrologie en général. L'astrologie est un sujet qui se prête à toutes sortes de déclarations, idées et opinions bizarres, mais l'on peut au moins s'assurer que les thèmes natals sont exacts.

Ceux qui étudient l'astrologie pendant un certain temps découvrent qu'elle renferme des vérités universelles, et qu'elle démontre que l'homme et la nature sont soumis aux influences célestes et aux différents systèmes cosmiques. Les principes énoncés dans ce livre constituent un premier pas, essentiel, vers cette compréhension.

Chapitre 1

LE THÈME NATAL: LA CARTE DU CIEL

Définition

Le thème natal, quelquefois appelé *natus*, horoscope, nativité ou géniture, est un diagramme calculé pour un endroit précis, à un moment donné.

Ce thème est basé sur des données astronomiques et il indique les positions du Soleil, de la Lune et des planètes à une heure spécifique telle que définie à un endroit donné de la Terre.

La date de naissance mise à part, deux choses sont essentielles dans l'ordonnance d'un thème: l'heure et le lieu de naissance. L'un ne sert pas à grand-chose sans l'autre. Bien que les planètes se trouvent sous les mêmes signes du zodiaque à une date donnée quel que soit le lieu géographique envisagé, leurs positions cosmiques (les positions des Maisons) seront différentes selon l'heure de ce jour et le lieu considéré.

À midi, à Londres, le Soleil sera proche du méridien supérieur, tandis qu'à New York il sera juste au-dessus de l'horizon

(Soleil levant). Si le Soleil se couche en un lieu de longitude 90° est, il en sera ainsi partout sur le globe le long de cet axe. D'où l'importance de savoir quand (l'heure) et où (le lieu) la naissance ou l'événement ont eu lieu. À partir de ces deux coordonnées de temps et de lieu, un graphique peut être construit, et ce graphique représentera la carte du ciel correspondant à un lieu X et à une heure Y.

Portée du thème natal

L'astrologie est à la fois un art et une science. C'est un art dans la mesure où l'interprétation des facteurs astrologiques exige une grande expérience du symbolisme astrologique et des influences des astres dans tous les domaines de l'activité humaine. Le thème indique le potentiel de l'individu, qui peut se manifester de toutes sortes de manières selon son hérédité et son environnement.

On ne peut pas prévoir l'avenir à partir d'un thème astrologique. Aucun astrologue réputé n'essaierait de prédire des événements et des situations de façon précise; mais il peut déterminer les époques d'une vie pendant lesquelles des conditions favorables ou néfastes auraient des chances de prévaloir.

De son interprétation du thème natal, il peut obtenir des renseignements très clairs sur les traits de la personnalité, et cela lui permet de discerner comment une personne en particulier réagira à un concours précis de circonstances. La maîtrise de cet art n'est pas quelque chose que l'on peut acquérir du jour au lendemain; il faut une discipline constante qui exige de la persévérance et un certain degré d'intuition, le tout lié à la capacité d'évaluer les facteurs astrologiques d'une manière réaliste et empirique.

L'astrologie est une science parce que l'interprétation et la délimitation de ses symboles sont liées à des facteurs astronomiques et à des concepts mathématiques. Le thème natal est établi à partir de l'astronomie: les planètes, les signes et les Maisons; et si étrange que puisse paraître à certains la théorie des influences célestes, personne ne peut rejeter la base scientifique du thème natal.

Quel que soit l'aspect de l'astrologie qui vous intéresse — cosmique, psychologique, professionnel ou comparatif — tout repose sur un thème bien fait. Si ce thème est mal calculé, tous les travaux d'analyse et d'évaluation qui s'ensuivent ne serviront à rien. Comme pour beaucoup de choses, l'expérience donne confiance, et, bien qu'au début le calcul d'un thème puisse sembler compliqué, c'est en réalité un travail facile s'il est abordé de façon méthodique.

L'arithmétique astrologique

La manipulation des chiffres ne devrait pas présenter de difficulté si l'on pense à ce que le thème représente en fait. Fondamentalement, on établit un graphique des positions des astres à une heure et en un lieu précis; et si l'on compare les résultats aux connaissances acquises en astronomie élémentaire, on saura si le thème est exact à peu de chose près.

Par exemple, si l'on fait un thème pour une naissance à midi, on sait que le Soleil doit être près du Milieu-du-Ciel (au sud, dans l'hémisphère nord; au nord, dans l'hémisphère sud) et si on le trouve ailleurs une fois le graphique terminé, on sait immédiatement qu'il y a une erreur de calcul. De même, si Mercure se trouve à plus de 27° du Soleil, on sait que l'on s'est trompé en cherchant sa position dans les éphémérides. Dans la mesure où il s'agit de faire le thème natal, l'arithmétique astrologique ne comporte que des additions et des soustractions: il n'est pas nécessaire de comprendre les mathématiques avancées pour calculer un thème astrologique. Les techniques plus avancées d'astrologie, comme certaines formes de progressions, nécessitent certainement des connaissances en géométrie des sphères, mais pour le thème natal, l'arithmétique élémentaire suffit.

Heureusement, l'astrologue est aidé dans ses calculs par l'utilisation de tables mathématiques (comme les *Tables of Houses*) qui sont déjà établies pour lui permettre d'en tirer les renseignements dont il a besoin concernant le signe ascendant et les cuspides des Maisons. Les éphémérides astrologiques répertorient les données planétaires qui sont requises pour situer les planètes et leurs longitudes.

Représentation graphique

Renseignements essentiels

Pour faire un thème, certains renseignements sont essentiels, et plus le renseignement sera précis, plus le thème sera exact. Un thème peut être calculé à partir de données inexactes, mais l'interprétation des facteurs astrologiques, et en particulier des progressions (évaluation des tendances futures), ne sera pas aussi détaillée qu'avec un thème précis. Les renseignements requis sont les suivants:

1. *Heure de naissance.* C'est probablement le facteur le plus important, car ce n'est qu'en connaissant l'heure de la naissance que l'on peut déterminer de façon précise le rapport qui existe entre les grands cercles de la carte du ciel (écliptique et divisions des Maisons) et le lieu géographique de la naissance.

2. *Date de naissance.* Les planètes sont constamment mobiles et changent de position chaque jour — la Lune en particulier, qui se meut rapidement dans les signes du zodiaque en un court laps de temps. Chaque jour, les planètes forment entre elles des configurations (aspects), et bien que les plus lentes restent sous un même signe pendant plusieurs mois (quelquefois plusieurs années), elles ont toutes leurs significations dans le rapport général qui existe un jour en particulier.

3. *Lieu de naissance.* À cause de la rotation de la Terre, tous les signes du zodiaque passent par l'ascendant une fois toutes les 24 heures (sauf aux latitudes polaires) et le signe ascendant et culminant dépendra de la latitude du lieu de naissance. Les douze Maisons qui indiquent le mode d'expression selon le signe de la cuspide, et les planètes qui se trouvent dans la Maison, sont définies par des formules mathématiques qui indiquent comment l'horizon coupe l'écliptique; cette intersection de l'horizon et de l'écliptique varie avec la latitude du lieu de naissance. Plus ce lieu se trouve près du pôle, nord ou sud, plus l'horizon coupera obli-

quement l'équateur et l'écliptique. D'où la nécessité d'avoir une table des Maisons pour chacune des latitudes. Toutefois, à moins qu'une précision absolue ne soit exigée, la table de la latitude la plus proche conviendra. La table des Maisons pour Londres peut être utilisée pour tous les lieux situés entre le 50e et le 53e degré de latitude nord, et celle de Liverpool pour ceux qui se trouvent entre le 53e et le 55e degré de latitude nord. Les trois renseignements essentiels pour l'établissement d'un thème natal sont donc l'*heure*, la *date* et le *lieu* de naissance à partir desquels on peut faire un thème pour n'importe quelle partie de la Terre.

Heure de naissance

On peut se demander comment on détermine précisément l'heure de la naissance. Est-ce le premier cri? Ou bien est-ce le moment où l'on coupe le cordon ombilical? Généralement, c'est au premier cri de l'enfant, lorsqu'il respire tout seul pour la première fois. Le thème basé sur cet instant sera le thème natal; il indiquera la potentialité qui se manifestera pendant la vie, selon l'hérédité et les facteurs de l'environnement.

Toutefois, en ce qui concerne l'analyse des caractères, une légère différence dans l'heure enregistrée de la naissance est peu importante; c'est dans l'analyse des progressions, l'évaluation dans le temps des événements et des situations que *c'est* important; quelques minutes de différence modifieront plus ou moins les progressions et leur incidence dans le temps selon que la marge d'erreur sera plus ou moins grande.

Préparation du calcul du thème

Les renseignements essentiels nécessitent une vérification sérieuse, et l'on peut économiser beaucoup de temps et de travail en faisant quelques recherches sur l'authenticité des données de la naissance.

D'abord, l'heure doit être clairement spécifiée. Est-ce l'heure officielle, l'heure normale ou l'heure d'été? L'homme moyen n'est pas très intéressé par les différents types d'heure.

Pour lui, l'heure est celle indiquée par la pendule ou sa montre. De telle sorte que lorsque quelqu'un donne une heure, on en déduit qu'il s'agit de celle de la pendule de l'endroit où la naissance a eu lieu. À l'occasion, les gens essaient d'aider en indiquant l'heure de la façon qu'ils estiment la plus commode pour l'astrologue. Par exemple, ils déclareront qu'il s'agit de l'heure de Greenwich et omettent de dire qu'ils ont déjà ôté une heure pour tenir compte de l'heure d'été. Induit ainsi en erreur, l'astrologue, croyant qu'il s'agit de l'heure locale, retranche encore une heure dans ses calculs, ce qui se traduit par un thème faussé.

On fait aussi des déclarations vagues, comme: "Je suis né à l'heure du thé, ou alors que mon père rentrait du bureau." Ces indications ne sont guère utiles; bien qu'elles permettent des approximations, elles n'autorisent pas l'élaboration d'un thème précis. Il est donc très important d'obtenir l'heure exacte de la naissance et d'opérer toutes les conversions nécessaires aux calculs ultérieurs.

La date de naissance n'offre généralement aucune difficulté; la majorité des gens connaissent leur date de naissance, même lorsqu'ils ne sont pas sûrs de l'heure. La seule exception est celle des personnes âgées nées dans les pays qui utilisent le vieux calendrier (voir *Le calendrier*, chapitre 4). À moins qu'elles n'indiquent très clairement que la date donnée est celle du nouveau calendrier, il convient de faire la conversion.

Le lieu de naissance est très important; les latitudes et longitudes doivent être obtenues dans un bon atlas ou répertoire géographique. Il est aussi à noter que beaucoup de pays et de régions ont changé de nom au cours du siècle — les pays africains en particulier — et qu'un bon livre de référence s'impose pour la date et le lieu en question.

La première chose à faire pour calculer le thème est par conséquent d'*obtenir et de vérifier les renseignements essentiels* (heure, date, lieu). Mieux vaut prendre le temps et faire l'effort nécessaires pour obtenir des renseignements aussi précis que possible, faute de quoi les calculs du thème seront faux ainsi que tout le travail qui en découlera.

Nous avons discuté dans les grandes lignes de la définition et de la portée du thème natal, ainsi que des renseignements essentiels requis pour le calcul du thème à une heure donnée dans un lieu précis. Nous allons maintenant considérer les facteurs astronomiques qui se rapportent à ces calculs. Il n'est pas indispensable de comprendre parfaitement les fondements astronomiques de l'astrologie. Un automobiliste n'a pas besoin de savoir comment fonctionne le moteur de sa voiture pour la conduire, mais s'il a des connaissances en mécanique, ce sera un meilleur conducteur qui saura éviter bien des situations frustrantes. De même, l'étudiant en astrologie sera plus compétent et comprendra mieux ses calculs s'il possède les connaissances astronomiques sur lesquelles s'appuie l'astrologie.

Chapitre 2

PRINCIPES FONDAMENTAUX DE L'ASTRONOMIE (I): CERCLES ET PROJECTIONS

La sphère céleste

Vu de la Terre, le ciel ressemble à un énorme bocal renversé, dont le centre serait la terre et dans lequel se trouvent les étoiles et autres corps célestes. À l'intérieur de ce globe imaginaire (la sphère céleste), la Terre tourne autour de son axe d'ouest en est, et la sphère céleste semble se mouvoir vers l'ouest aux yeux de l'observateur terrestre. Ce mouvement apparent vers l'ouest fait que le Soleil et les autres corps célestes semblent se lever à l'est et se coucher à l'ouest du méridien de l'observateur. (C'est le demi-cercle imaginaire qui passe verticalement d'un pôle à l'autre de la Terre et traverse le zénith, divisant le ciel en deux hémisphères, l'oriental et l'occidental.)

Les coordonnées astronomiques

Les coordonnées utilisées en astronomie sont identiques aux coordonnées géographiques en ce qui concerne les pôles, l'horizon, l'équateur et les méridiens. Le grand cercle qui divise la Terre en deux hémisphères (nord et sud) s'appelle l'équateur; les lignes de repère à partir de ce dernier sont les longitudes, tandis que les distances entre les pôles et l'équateur sont appelées latitudes.

Ces deux coordonnées permettent de déterminer n'importe quel point à la surface de la Terre. Le point d'origine des longitudes est le méridien de Greenwich à partir duquel on calcule 180° à l'est, et 180° à l'ouest, tandis que la latitude est calculée de 0° à 90° (nord ou sud) à partir de l'équateur.

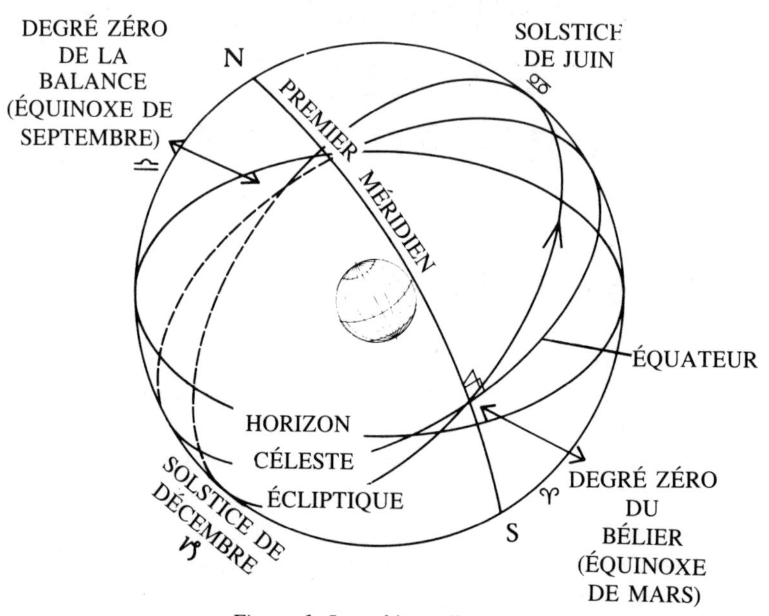

Figure 1. La sphère céleste

De même, n'importe quel corps céleste peut être repéré si l'on connaît ses coordonnées sur la sphère céleste. La longitude terrestre devient l'ascension droite; la latitude s'appelle déclinaison, et ces coordonnées permettent à l'astronome de déterminer un point ou un corps céleste. Les mesures astronomiques se calculent à partir de l'équateur céleste qui est la projection de l'équateur géographique sur la sphère céleste. Cet équateur céleste a pour pôles les pôles célestes qui sont les pôles de rotation de la sphère céleste et se trouvent directement au-dessus des nôtres. Dans l'hémisphère boréal, il semble que le ciel tourne autour d'un point fixe qui est le Pôle Nord céleste, et que l'axe de rotation de la Terre pointe vers l'étoile Polaire (polaris).

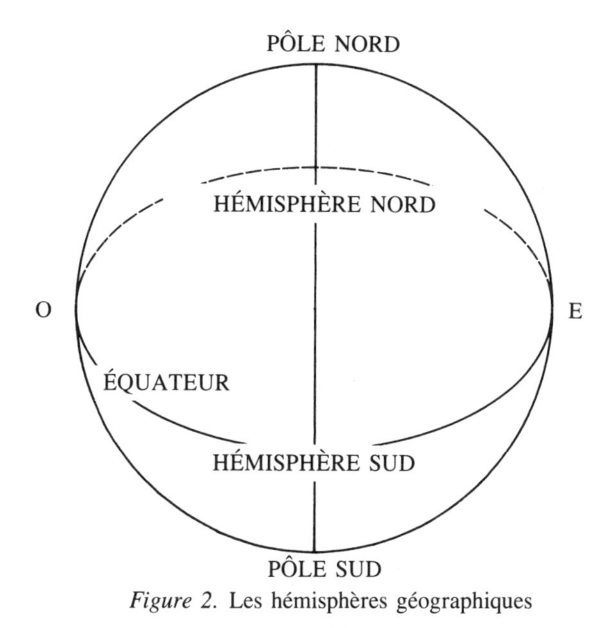

Figure 2. Les hémisphères géographiques

Le grand cercle de l'équateur est à mi-chemin entre les deux pôles; il divise la Terre en hémisphère Nord et en hémisphère Sud. L'équateur céleste est la projection de l'équateur géographique sur la sphère céleste; il coupe l'écliptique (le chemin apparent du Soleil) en deux points équinoxiaux, le 0° du Bélier et le 0° de la Balance.

Ce que l'observateur sur la Terre perçoit du ciel est régenté par ses déplacements et par la latitude à laquelle il fait ses observations. L'altitude (la distance angulaire à partir de l'horizon) du Pôle Nord est égale à la latitude de l'observateur. Le Pôle Nord céleste est directement au-dessus du Pôle Nord géographique et toutes les étoiles visibles semblent tourner autour du pôle céleste et demeurer au-dessus de l'horizon. Plus on s'éloigne vers le sud, moins le pôle céleste est au-dessus de soi et plus il se rapproche de l'horizon et, à l'équateur géographique — où l'équateur céleste s'étend d'est en ouest en passant par le zénith — , les pôles célestes sont tout près du nord et du sud de l'horizon. En d'autres mots, la latitude de l'observateur détermine l'évaluation de l'élévation des pôles célestes et de l'équateur au-dessus de l'horizon.

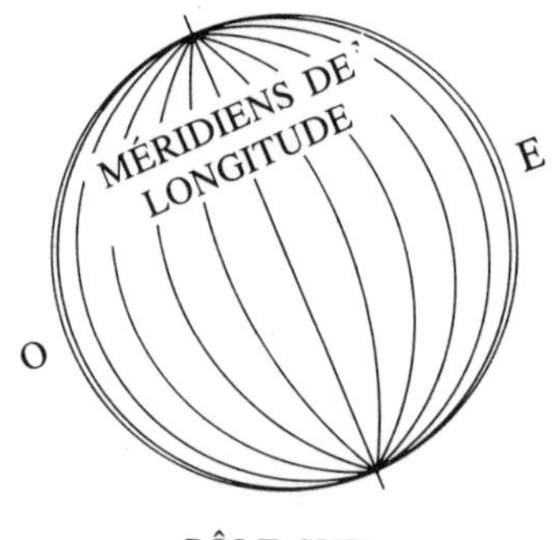

Figure 3. Les méridiens de longitude

Le méridien de Greenwich est au degré 0 de longitude; c'est à partir de ce méridien que la longitude est mesurée de 0° à 180° à l'est et à l'ouest. Chaque degré de longitude équivaut à quatre minutes de temps (15° = 1 heure), et comme la Terre tourne de 360° en 24 heures, chaque heure correspond à un déplacement de 15°. Les localités situées à l'est de Greenwich seront «en avance», tandis que celles situées à l'ouest seront «en retard» sur l'heure de Greenwich (H.G.). Quand il est midi à Greenwich, il est 13 h, 15° de longitude à l'est, et 11h, 15° à l'ouest de Greenwich. Une localité située à 120° de longitude ouest sera huit heures en retard sur H.G. (120 ÷ 15), et ainsi de suite tout autour du globe.

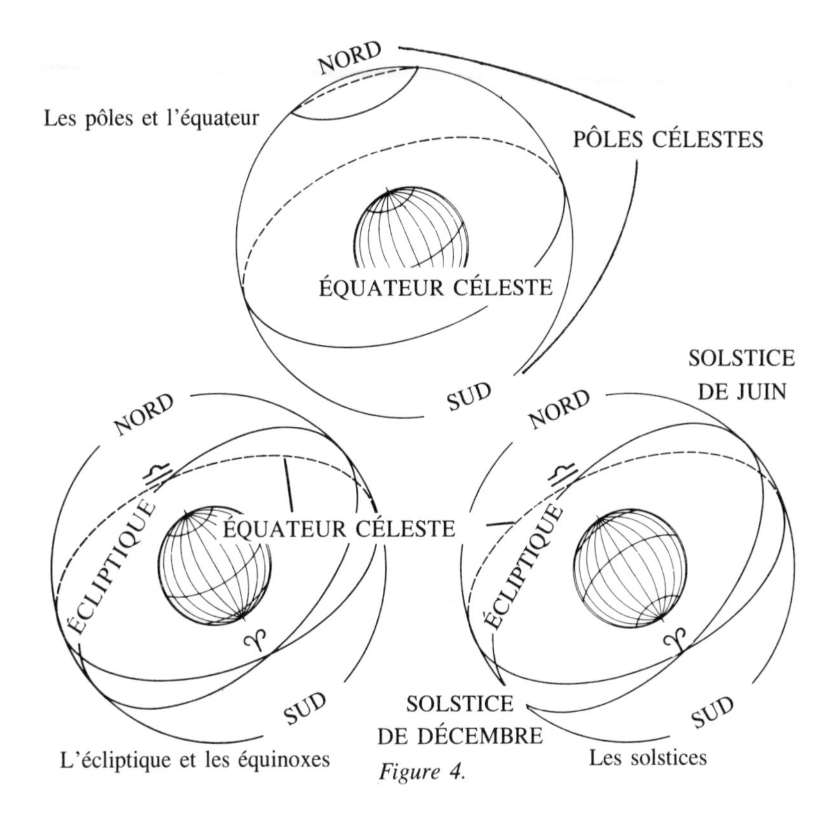

Figure 4.

L'équateur céleste (appelé aussi ligne équinoxiale) a pour point d'origine le point gamma ou vernal (équinoxe de printemps ou vernale). De même que la longitude géographique est calculée à partir du méridien de Greenwich, le calcul de l'ascension droite le long de l'équateur céleste se fait à partir du point gamma ou 0° du Bélier. Ce point est un Greenwich céleste; c'est le point d'intersection à n'importe quel moment de l'équateur céleste et de l'écliptique (la trajectoire apparente du Soleil dans le ciel).

La mesure de l'ascension droite se calcule vers l'est à partir de l'équinoxe vernale (point gamma) en heures et en minutes, chaque heure de l'ascension droite équivalant à 15° (360° divisé par 24). La déclinaison, qui est l'autre coordonnée du système équatorial et qui correspond à la latitude géographique, se mesure à partir de l'équateur céleste de 0° à 90° nord ou sud.

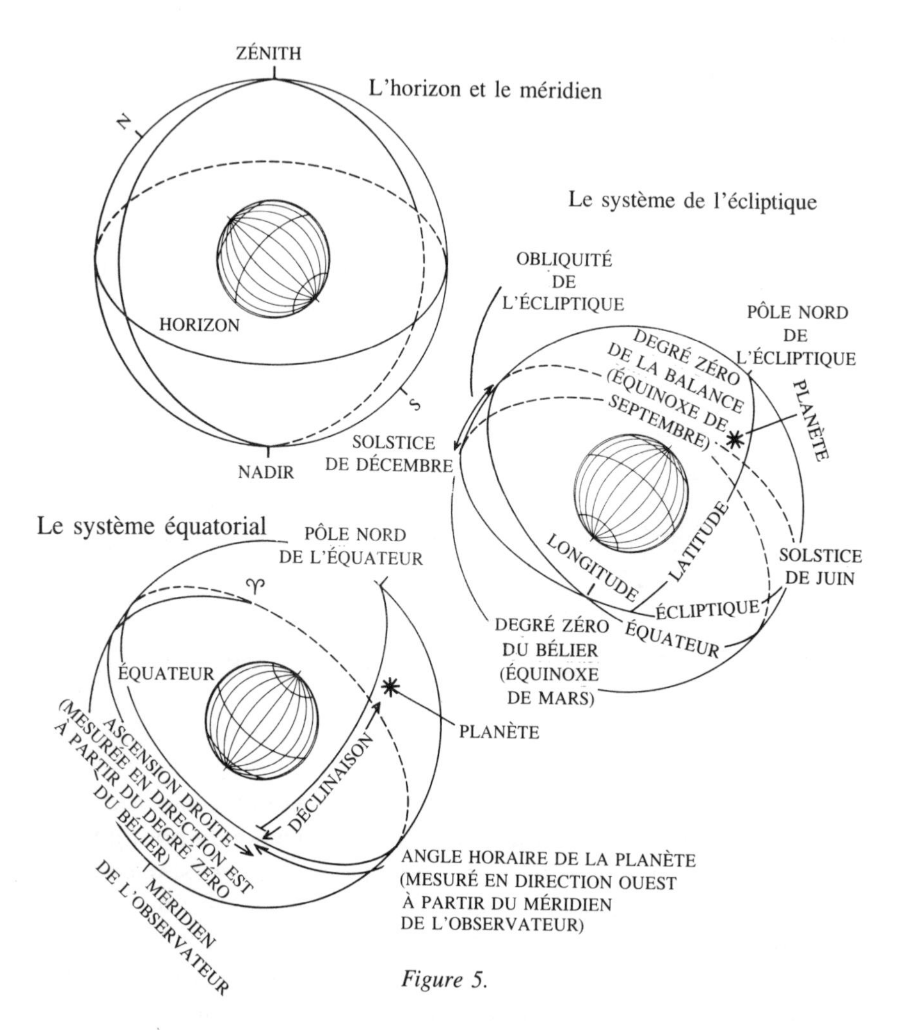

Figure 5.

L'écliptique, que nous verrons plus en détail lorsque nous étudierons les longitudes et latitudes célestes, représente le parcours annuel du Soleil; autrement dit, c'est la projection du plan de l'orbite terrestre sur la sphère céleste. L'écliptique, ainsi nommée parce que les éclipses ne peuvent exister que lorsque la

Lune traverse ce cercle, est un énorme cercle dont l'intersection avec l'équateur céleste est le point 0 (point gamma) à partir duquel on mesure la longitude céleste.

Lorsque nous parlons d'horizon, nous nous référons généralement à l'horizon visuel qui est un petit cercle formé par l'apparente rencontre du ciel et de la Terre et qui est parallèle à l'horizon vrai. Il ne faut pas les confondre car c'est l'horizon vrai ou horizon céleste (un grand cercle sur la sphère céleste), dont tous les points sont à 90° du zénith (le point directement au-dessus de l'observateur), qui divise la sphère céleste en deux hémisphères (supérieur et inférieur). Tous les corps célestes de l'hémisphère supérieur sont visibles tandis que les autres ne le sont pas. C'est l'intersection du point de l'horizon oriental et de l'écliptique qui détermine l'ascendant à une heure et en un lieu donnés. Tous les grands cercles qui passent par le zénith de l'observateur sont perpendiculaires à l'horizon vrai ou céleste et s'appellent les grands cercles (ou verticaux de la sphère céleste).

Le premier vertical est le grand cercle qui passe par l'horizon oriental et occidental, le zénith et le nadir (le point directement opposé au zénith). Tous les autres grands cercles qui passent aussi par le zénith et le nadir ne passent pas par l'horizon oriental et occidental. Le plan du premier vertical correspond aux points d'intersection de l'horizon et de l'équateur.

Les grands cercles imaginaires qui passent par les deux pôles géographiques à la surface de la Terre perpendiculairement à l'équateur sont les méridiens aux yeux de l'observateur, et ils constituent ses lignes de repère nord-sud. Pour les besoins des calculs astronomiques, le méridien géographique projeté sur la sphère céleste s'appelle le méridien céleste. Il correspond à la longitude géographique. Quand la Terre tourne, l'observateur et son méridien céleste se meuvent vers l'est, de telle sorte que les étoiles semblent aller vers l'ouest et croiser le méridien céleste. Ces passages par le méridien sont importants car ils sont à la base de la mesure du temps dont nous nous entretiendrons plus tard.

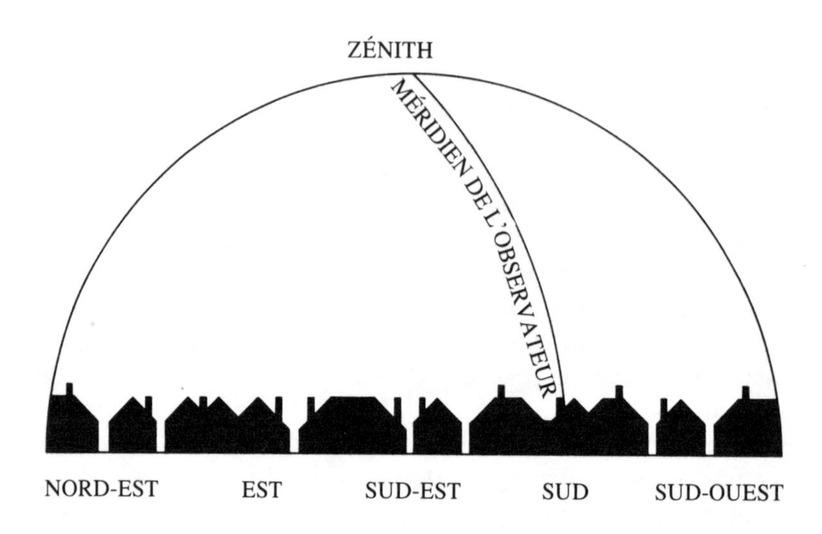

Figure 6. Le méridien de l'observateur

Pour établir les thèmes astrologiques, on ne s'intéresse pas directement aux coordonnées équatoriales de l'ascension droite et de la déclinaison, mais aux coordonnées de l'écliptique — les longitudes et latitudes célestes. La longitude céleste est la distance angulaire à partir de l'écliptique; elle se mesure vers l'est, à partir du point gamma, en degrés et en minutes. La latitude céleste est la distance angulaire entre l'écliptique et le corps céleste; elle se mesure en degrés et en minutes, soit au nord ou au sud de l'écliptique. Ne la confondez pas avec la latitude géographique qui se mesure évidemment à partir de l'équateur.

L'écliptique

La route du Soleil

Pour l'observateur situé sur la Terre, le Soleil semble se lever à l'est, traverser le méridien vers midi — quand il atteint sa plus haute altitude — pour redescendre et se coucher à l'ouest.

Dans son mouvement quotidien dans le ciel, le Soleil suit une route bien définie, avec les étoiles fixes en arrière-plan. En réalité, bien sûr, c'est la rotation de la Terre qui est responsable du lever et du coucher du Soleil et des autres corps célestes, mais à nos yeux il semble que ce soit le ciel qui tourne autour de nous.

Cette route apparente du Soleil s'appelle l'écliptique; c'est un grand cercle qui coupe l'équateur céleste à un angle de 23,5°. L'inclinaison de l'écliptique sur l'équateur céleste s'appelle l'obliquité de l'écliptique; elle est due au fait que l'axe de la Terre n'est pas perpendiculaire au plan de son orbite, mais qu'il s'éloigne de la perpendiculaire à un angle de 23,5°.

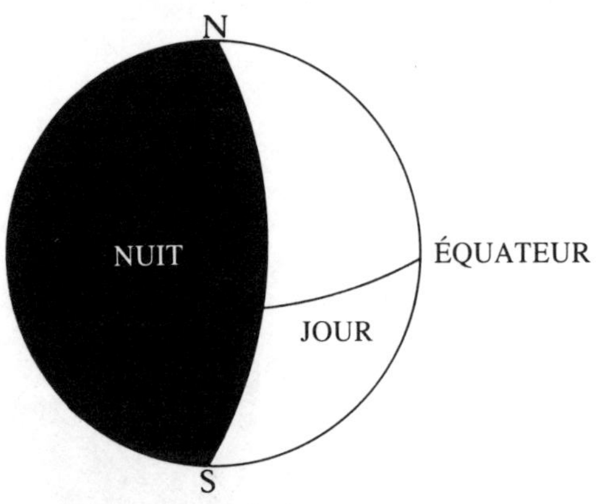

Figure 7. Les équinoxes

Lorsque le Soleil, dans sa ronde apparente, traverse l'équateur céleste aux équinoxes de mars et de septembre, sa déclinaison est nulle et il est verticalement au-dessus de l'équateur. Le jour et la nuit sont d'égale durée sur toute la Terre.

À l'équinoxe de printemps, vers le 21 mars, la déclinaison du Soleil est nulle et sa longitude se situe à 0° du Bélier. Tandis qu'il continue sa route annuelle le long de l'écliptique, sa déclinaison augmente jusque vers le 21 juin, alors qu'il atteint sa déclinaison maximum de 23,5° au nord de l'équateur céleste. Il semble alors rester immobile, d'où le terme solstice, avant de diminuer de nouveau de déclinaison jusqu'à l'équinoxe d'automne (vers le 23 septembre) alors qu'elle est de nouveau nulle et que sa longitude se situe à 0° de la Balance. À l'équinoxe de septembre, il traverse l'équateur et sa déclinaison est au sud et augmente pour devenir 23,5° sud vers le 22 décembre — le solstice de décembre, à la longitude 0° du Capricorne. À partir de cette date, la déclinaison diminue jusqu'au point gamma, à l'équinoxe de printemps.

Les expressions solstices d'été et d'hiver sont déroutantes. Dans l'hémisphère sud, les saisons sont à l'inverse de celles de l'hémisphère nord. Quand c'est le printemps ou l'été dans l'hémisphère nord, c'est l'automne et l'hiver dans l'hémisphère sud, et réciproquement. Mieux vaut donner à ces phénomènes des définitions plus simples et les appeler solstices de juin et de décembre; dans le cas des équinoxes, on dira équinoxes de mars et de septembre.

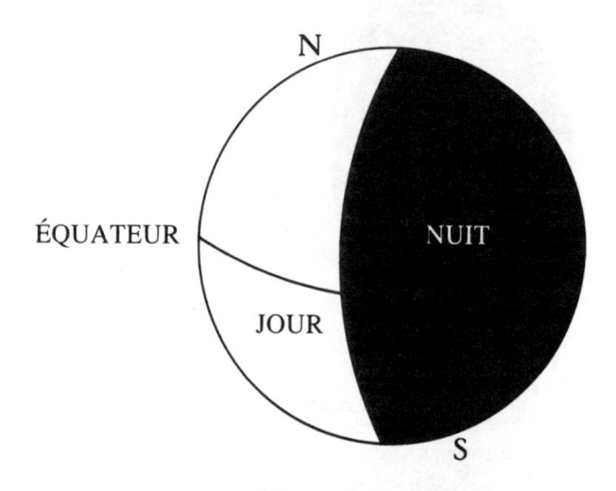

Figure 8. Les solstices

Vers le 21 juin et le 22 décembre, on a des jours de longueur maximum et minimum; dans l'hémisphère nord, les jours longs sont en juin et les courts en décembre; dans l'hémisphère sud, c'est l'inverse: les jours courts sont en juin et les longs en décembre. Dans la région polaire, le jour et la nuit s'allongent progressivement jusqu'à atteindre leur durée maximum aux pôles.

Pendant les solstices, c'est-à-dire vers les 21 juin et 22 décembre, on passe par des périodes d'ensoleillement maximum et minimum. Dans l'hémisphère nord, les jours les plus longs sont en juin, les plus courts en décembre; dans l'hémisphère sud, c'est l'inverse: de longs jours en décembre et des courts en juin. À l'intérieur du cercle polaire (66,5°) les jours et les nuits s'allongent progressivement jusqu'à atteindre leur durée maximum. À cause de l'obliquité de l'écliptique, le soleil est au-dessus de l'horizon plus ou moins longtemps selon les saisons. L'inclinaison de l'axe de la Terre fait que les rayons du Soleil frappent en biais ou plus directement. Au solstice de juin, à Londres, les rayons directs produisent environ trois fois plus de chaleur que ceux en biais du mois de décembre. L'angle du Soleil au-dessus de l'horizon et la durée de lumière du jour déterminent la quantité de chaleur reçue dans une région, d'où la différence de saisons dans toutes les parties du monde. À 23,5° et moins des pôles, le Soleil restera au-dessus de l'horizon 24 heures par jour à un certain moment de l'été; c'est le phénomène du Soleil de minuit.

Le zodiaque

De part et d'autre de l'écliptique, et s'étendant sur 8° ou 9° au nord et au sud, se trouve une bande ou ceinture appelée zodiaque dans laquelle se trouvent toujours le Soleil, la Lune et les planètes, à l'exception de Pluton dont l'inclinaison avec l'écliptique est de 17° calculée en latitude céleste.

Cette bande imaginaire est divisée en 12 signes de 30° chacun, portant le nom des constellations, bien qu'en raison de la précession des équinoxes, les signes et les constellations ne coïncident plus. Les horoscopes publiés dans les journaux et les magazines à grand tirage sont construits à partir de la position zodiacale du Soleil; comme le Soleil semble entrer dans chaque signe chaque mois, tous ceux nés le même mois sont considérés comme ayant les mêmes caractéristiques. Ce type d'astrologie populaire ne fait pas grand mal, à condition que les lecteurs se rendent bien compte que ces soi-disant horoscopes ne sont rien d'autre qu'une très vague généralisation et qu'il faut les traiter comme tels. Il ne faut pas les prendre au sérieux — nous verrons en commençant le calcul du thème natal que l'astrologie ne tient pas seulement compte du signe traversé par le Soleil.

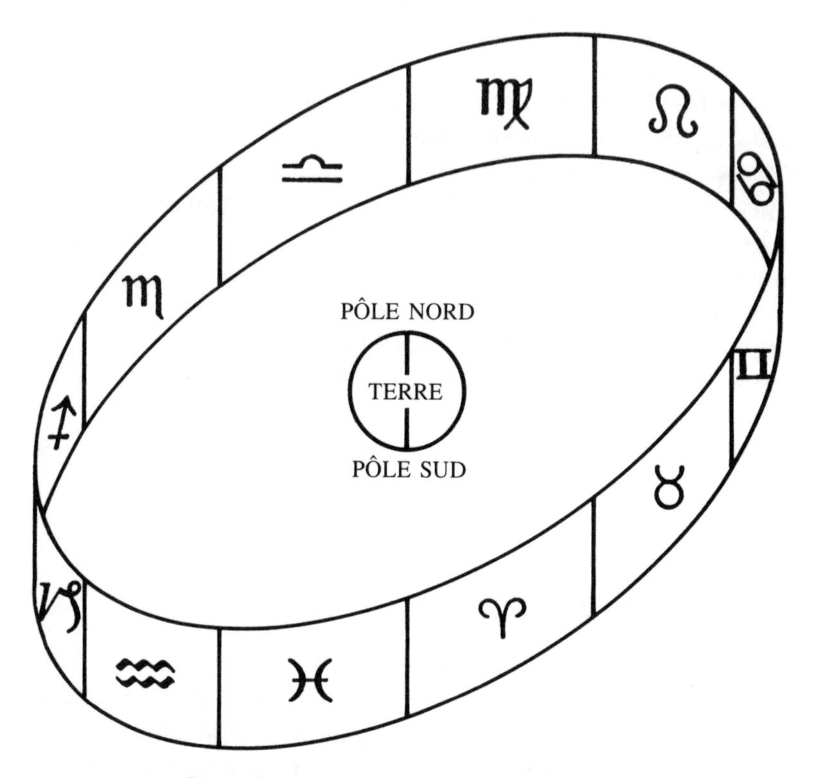

Figure 9. Le zodiaque (le cercle des animaux)

Jusqu'à 23,5° de l'équateur, le Soleil est au zénith à un certain moment de l'été. Aux latitudes intermédiaires, entre l'équateur et les pôles, le point le plus élevé atteint par le Soleil en été sera de 90° moins la latitude du lieu, plus 23,5°. Réciproquement, le point le plus bas que le Soleil atteindra à midi pendant l'hiver sera de 90° moins la latitude, plus 23,5°. Quand le Soleil, dans sa ronde apparente, traverse l'équateur céleste aux équinoxes de mars et de septembre, sa déclinaison est de 0° et il est directement au-dessus de l'équateur, et les jours et les nuits sont d'égale longueur partout sur la Terre. Tandis qu'il se lève à l'est, au nord ou au sud selon les différentes époques de l'année, il finira par se lever plein est ou se coucher plein ouest au moins deux fois par an, et cela se produira aux équinoxes (mars et septembre), quand sa longitude sera à 0° du Bélier et à 0° de la Balance respectivement.

La précession des équinoxes

La précession est due au mouvement lent de l'axe de la Terre; ce phénomène donne l'impression que les pôles célestes et l'équateur céleste se meuvent devant les étoiles. Ce changement graduel de position des points équinoxiaux le long de l'écliptique se fait vers l'ouest à la vitesse de 50 secondes par an, et il faut 25 800 ans à la Terre pour compléter un cycle de précession. L'intersection de l'équateur céleste et de l'écliptique définit les points équinoxiaux; la précession a pour effet d'avancer de 20 minutes par an la rencontre, au printemps, du Soleil et de l'équateur, et cette rencontre se fait à 50 secondes de mesure d'arc vers l'ouest sur l'écliptique.

Ce zodiaque mobile est connu sous le nom de zodiaque tropical et le passage du Soleil à l'équinoxe de printemps (point gamma) marque le commencement de l'année tropicale (année saisonnière) dont la durée est de 365 jours, 5 heures, 48 minutes et 46 secondes en temps solaire moyen. L'année sidérale, qui est l'année véritable, est le temps que prend la Terre à faire un tour complet autour du Soleil, ou, en d'autres mots, le laps de temps que prend le Soleil pour se retrouver exactement à la même position par rapport aux constellations telles qu'on les aperçoit de la Terre. Étant donné que le point gamma n'est pas un point fixe, à cause du mouvement de précession, l'année sidérale est de 20 minutes plus longue que l'année tropicale, soit 365 jours, 6 heures, 9 minutes et 9 secondes en temps solaire moyen. C'est le zodiaque tropical qui est utilisé par la plupart des étudiants en astrologie, bien qu'il y ait une école de pensée qui estime que le zodiaque sidéral est plus approprié. L'opinion de ces sidéralistes mérite le respect, si l'on considère en particulier les innombrables recherches et investigations qui ont été faites sur le zodiaque par plusieurs savants notoires.

Zodiaque sidéral ou tropical

Pour pouvoir comparer les mérites respectifs des deux systèmes, il faut d'abord comprendre ce que chacun représente. Le terme "les zodiaques" est trompeur et confus puisqu'il n'y a qu'un cercle du zodiaque que l'on appelle tropical ou sidéral selon le point à partir duquel on le mesure. Le cycle tropical est celui des saisons, celui qui correspond chaque mois de mars au retour annuel du Soleil à l'équinoxe de printemps (point gamma); et le mouvement progressif du Soleil, chaque mois, est mesuré par les signes le long de l'écliptique en degrés de longitude. Le cycle sidéral est le rebroussement du point vernal au travers des douze constellations zodiacales (actuellement des Poissons au Verseau) pendant une période de quelque 25 800 années. Il est mesuré à partir d'un point de référence fixe qui se trouve sur le même cercle écliptique qui situe l'étoile fixe Épi de la Vierge d'une façon permanente à 29° de la Vierge.

Ceux qui critiquent l'astrologie disent que ce doit être une science inexacte puisque ses adeptes (ou du moins ceux qui utilisent le zodiaque tropical) ne tiennent même pas compte du phénomène de précession. Leur thèse est que l'astrologie n'est pas fondée sur des faits puisque l'équinoxe de printemps ne correspond plus à la constellation du Bélier, mais a bougé par rapport aux étoiles. Par conséquent, la division du zodiaque ne correspond plus aux constellations et, bien que le Soleil se trouve dans la constellation du Bélier à l'équinoxe de printemps, il est en fait dans celle des Poissons. Cet argument est valable ou non selon l'importance que l'on donne au cycle choisi. Si l'on pense que le cycle solaire annuel, qui est saisonnier, a une beaucoup plus grande importance, le zodiaque sidéral ou fixe mérite considération si la précession des points équinoxiaux est tenue pour significative.

Le point vernal est important aussi bien en astronomie qu'en astrologie puisque c'est à partir de lui que les astronomes observent les déplacements ou déterminent des positions sur la sphère céleste. Contrairement au zodiaque tropical, le zodiaque sidéral ne bouge pas et n'a pas de précession, puisqu'il est toujours dans le prolongement des étoiles fixes. D'après certains savants modernes, en particulier Cyril Fagan et Garth Allen (dont la contribution à la science astrologique mérite les plus grands éloges), le zodiaque de l'Antiquité était celui des constellations, particulièrement en usage chez les astronomes-astrologues babyloniens.

Les grandes recherches sur l'histoire de l'astronomie qui ont été faites par le biais de fouilles archéologiques dans les civilisations de la vallée du Tigre et de l'Euphrate ont révélé que c'était le zodiaque des constellations qui était utilisé. Ces recherches tendent à confirmer que les Babyloniens et les Égyptiens mesuraient leurs longitudes à partir de repères dans le ciel. Ces repères étaient les Pléiades à 5° du Taureau, Aldébaran à 15° du Taureau, Régulus à 5° du Lion, l'Épi de la Vierge à 29° de la Vierge et Antarès à 15° du Scorpion. Les Babyloniens étaient des astronomes d'observation et, avec le temps, ils devinrent capables d'adapter et de mettre au point leurs connaissances sur les mouvements et les phénomènes célestes. C'est sur ces connaissances et les traditions qui y étaient rattachées que fut d'abord fondée l'astronomie grecque. Hipparque donna à l'astronomie une solide base géométrique et confirma, à partir de ses propres observations, que la position de l'équinoxe définissait le point d'origine des mesures d'ascension droite et de longitude.

Selon Fagan, l'année 221 av. J.-C. fut l'année 0, alors que les deux zodiaques coïncidaient, c'est-à-dire que le point vernal avait régressé jusqu'à sa conjonction avec sa contrepartie sidérale. Cependant, à cause du changement de position perpétuel du point vernal par rapport aux étoiles fixes, l'écart entre le point gamma tropical et le point gamma sidéral est maintenant approximativement de 24°. Cette différence, appelée *ayanamsa* par les partisans du zodiaque sidéral, doit être soustraite de toutes les longitudes tropicales pour les convertir en longitudes sidérales. En retranchant cette différence, la précession qui s'est accrue depuis l'an 221 av. J.-C. se trouve ainsi effacée. Des tables pour faciliter la conversion sont données par des publications qui traitent d'astrologie sidérale. La méthode sidérale offre un champ d'action et de recherche intéressant, mais le néophyte en astrologie devrait choisir et utiliser le système tropical avant d'essayer le système sidéral; ce dernier n'est pas difficile mais il peut, dans certains cas, être assez complexe.

La position du Soleil

Position dans le zodiaque et sur le diagramme

Dans le cours de l'année, le Soleil "pénètre" chaque signe du zodiaque aux dates approximatives indiquées ci-dessous. De plus, sa position sur le diagramme dépend du moment de la naissance ou de l'événement. Après qu'on aura fait les calculs de thème, si le Soleil se trouve dans un signe ou dans un quadrant autre que celui mentionné également ci-dessous, il y a erreur et les calculs seront à refaire.

Positions zodiacales

20 mars	Bélier	22 septembre	Balance
19 avril	Taureau	23 octobre	Scorpion
20 mai	Gémeaux	22 novembre	Sagittaire
21 juin	Cancer	21 décembre	Capricorne
22 juillet	Lion	20 janvier	Verseau
22 août	Vierge	19 février	Poissons

Positions dans les quadrants

La position du Soleil dans le thème dépend du moment pour lequel le thème est calculé. À l'aube, il sera près de l'ascendant; entre l'aube et midi, il sera au sud-est jusqu'à sa culmination à midi; puis il déclinera et se couchera à l'ouest, et pendant ce temps se trouvera en sud-ouest.

Chacun des douze signes du zodiaque passe par l'ascendant toutes les 24 heures; le temps moyen d'ascendance d'un signe est de deux heures, bien que cela varie avec la latitude de naissance. Ce facteur sera discuté plus en détail quand nous commencerons les calculs de thème.

Comme le Soleil demeure dans un signe du zodiaque pendant un mois environ, et que sa longitude augmente en moyenne d'un degré par jour, il est évident que le signe et le méridien du Soleil se trouveront dans le quadrant approprié selon l'heure du jour. Par exemple, si la date est le 21 juin, le Soleil vient d'entrer dans le Cancer et il y restera jusqu'à ce qu'il entre dans le Lion, vers le 22 juillet. Cependant, le Soleil se lève chaque jour et dans le cours des 24 heures il se déplacera dans chacun des quatre quadrants. Si la naissance a eu lieu à l'aube, le Soleil sera près de l'ascendant et le signe ascendant sera le Cancer; au crépuscule, le signe qui contient le Soleil sera en descendant (le contraire de l'ascendant) et, par conséquent, le signe opposé au Cancer (soit Capricorne) sera en ascendance.

Nous avons donc le Soleil qui passe par les 12 signes chaque année, et par les 4 quadrants — ou 12 Maisons — chaque jour. À midi, le signe dans lequel se trouve le Soleil sera sur le méridien (culmination) et à minuit au point opposé (méridien inférieur). Dans l'hémisphère sud, le Soleil culmine au nord, contrairement à l'hémisphère nord où il culmine au sud.

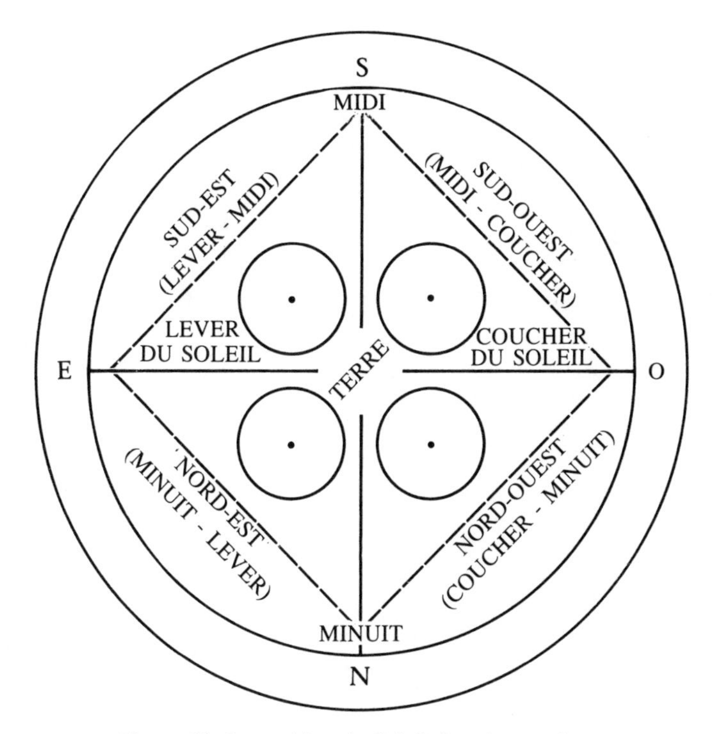

Figure 10. La position du Soleil dans les quadrants

Chapitre 3

PRINCIPES FONDAMENTAUX DE L'ASTRONOMIE (II): LE SYSTÈME SOLAIRE ET LES PLANÈTES

Le système solaire

Le système solaire est le système planétaire qui contient non seulement le Soleil, la Lune et les planètes (dont la Terre), mais aussi d'autres corps célestes comme les satellites des planètes, les astéroïdes (un anneau de petites planètes que l'on trouve entre les orbites de Mars et de Jupiter), les comètes et les météorites.

Le Soleil est le point focal du système solaire, et c'est autour du Soleil que tournent les planètes. L'envergure du système solaire est immense mais, malgré les énormes distances, les planètes se déplacent selon des orbites régulières et chaque planète est soumise à la force de gravité, qui varie en fonction de sa masse et de sa taille. L'attraction d'une planète par une autre provoque des irrégularités de mouvement: c'est ce que l'on appelle la perturbation.

On peut diviser les planètes en deux groupes: les planètes de type terrestre et celles de type Jupiter. Les planètes terrestres comprennent Mercure, Vénus, la Terre et Mars. Celles de type Jupiter (ou joviennes) sont Jupiter, Saturne, Uranus et Neptune. Pluton, bien que semblable à la Terre par sa taille, est la plus éloignée dans le système solaire.

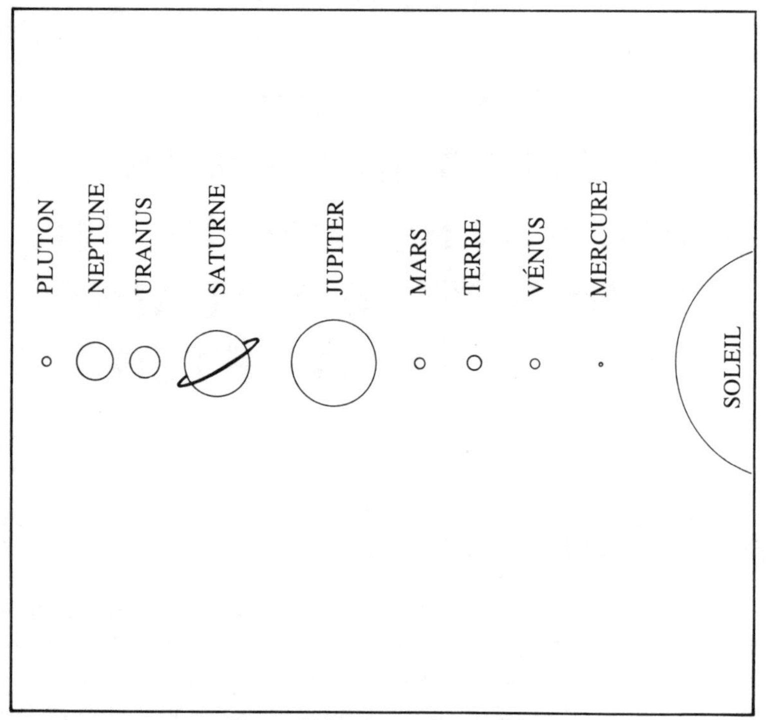

Figure 11(a). Le système solaire

Les caractéristiques physiques et orbitales des planètes terrestres sont à l'opposé de celles des planètes joviennes. Comparées aux secondes, les premières tournent lentement sur elles-mêmes et sont situées près du Soleil. Elles sont rocailleuses, comme la Terre, tandis que les autres sont très grosses

Planète	*Mercure*	*Vénus*	*Terre*	*Mars*	*Jupiter*	*Saturne*	*Uranus*	*Neptune*	*Pluton*
Distance moyenne par rapport au Soleil (X 10^6 km)	60	100	150	225	750	1400	3000	4500	6000
Durée de la révolution autour du Soleil	87,9 jours	224,7 jours	365,25 jours	686,98 jours	11,86 années	29,46 années	84,01 années	164,79 années	247,70 années
Diamètre (km)	5 000	12 000	12 800	6 800	140 000	120 000	45 000	50 000	6 000
Temps de rotation autour de son axe	58,5 jours	243 jours	23 h 56 min	24 h 37 min	9 h 51 min	10 h 14 min	10 h 48 min	14 h	6 jours 9 h
Inclinaison de l'orbite par rapport à l'écliptique	7°0'	3°24'	0°0'	1°51'	1°18'	2°29'	0°46'	1°46'	17°10'
Excentricité de l'orbite	0,206	0,007	0,017	0,093	0,048	0,056	0,047	0,009	0,246
Masse (Terre = 1)	0,05	0,81	1,00	0,11	318	95	15	17	?
Densité (Eau = 1)	5,4	4,99	5,52	4,12	1,3	0,7	1,65	2,0	?

Figure 11(b). Le système solaire: données planétaires

et formées d'éléments gazeux — à l'exception de Pluton qui est rocheuse. Toutes les planètes tournent selon des orbites elliptiques et leurs distances au Soleil varient continuellement. Mercure, Vénus, la Terre et Mars tournent autour du Soleil relativement vite, mais les planètes les plus éloignées (Jupiter, Saturne, Uranus, Neptune et Pluton) beaucoup plus lentement.

Le Soleil

Le Soleil est au centre du système solaire et est source de lumière et de chaleur pour la Terre. C'est une énorme sphère de gaz incandescents dont le diamètre est de 1 400 000 kilomètres; il est à 150 millions de kilomètres de la Terre et son volume est un million de fois celui de la Terre.

Bien que le Soleil soit le corps céleste le plus important du système solaire et que la vie telle que nous la connaissons ne puisse exister sans lui, ce n'est en fait qu'une étoile des plus banale parmi des milliards d'autres étoiles. Pour nous, sur Terre, il est de toute importance puisqu'il est force de vie. Il émet des radiations continuelles, mais la Terre ne reçoit qu'une toute petite partie de l'énergie totale qu'il produit. Pourtant, même léger, un changement de radiation modifierait considérablement le climat de la Terre.

La surface visible du Soleil s'appelle la photosphère et c'est de là que jaillit l'énergie dont l'origine se trouve à l'intérieur du Soleil. Immédiatement au-dessus de la photosphère, il y a une couche gazeuse de quelques centaines de kilomètres d'épaisseur appelée couche inversée, par-dessus laquelle s'en trouve une autre, de couleur rouge, d'où son nom de chromosphère, bien qu'on ne puisse la voir que pendant l'éclipse totale ou avec des instruments spéciaux. Le Soleil est composé principalement d'hydrogène, et, partant de nos connaissances des lois de la physique qui régissent les gaz et du comportement des gaz soumis à de hautes températures et pressions, nous pouvons établir la nature du centre du Soleil. Le centre du Soleil, dont la température atteint des millions de degrés, est en continuel processus de conversion. Le Soleil transforme son hydrogène en

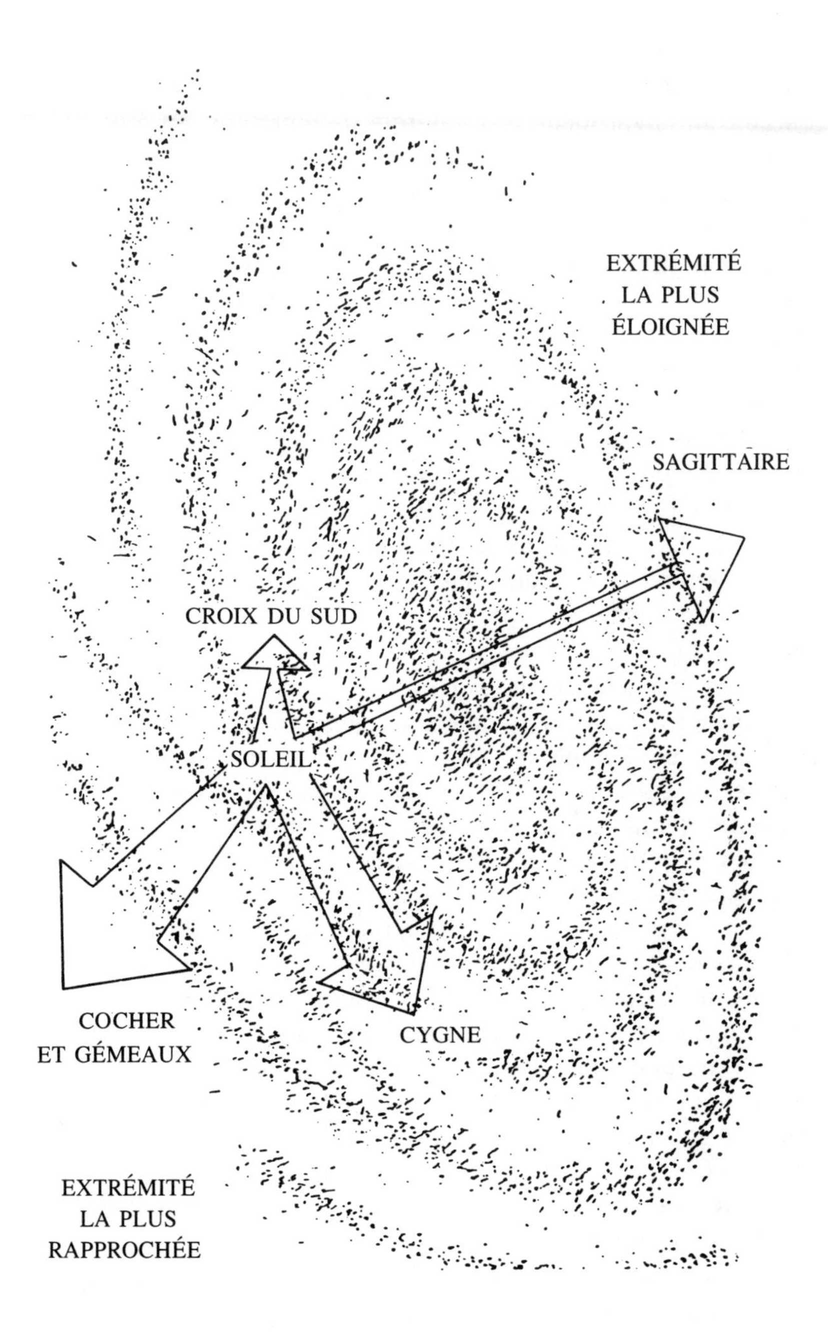

Figure 12. Notre galaxie

hélium et cette réaction nucléaire a pour effet de transformer une partie de l'hydrogène en énergie rayonnante au rythme de 4 millions de tonnes à la seconde.

Éventuellement, dans quelque 8 000 millions d'années, le Soleil aura épuisé ses ressources d'hydrogène et il enflera jusqu'à engloutir toutes les planètes les plus proches de lui, la Terre y compris. Le Soleil a un champ magnétique; l'activité solaire en est solidaire ainsi que sa rotation différentielle (qui est une période de rotation qui varie avec la latitude, celle à l'équateur étant la plus courte).

La rotation du Soleil permet de déceler le passage des taches solaires. Ces particularités importantes de la surface du Soleil prennent la forme d'une partie centrale de couleur très foncée (l'obscurité centrale) entourée d'une zone grise plus claire (la pénombre). L'obscurité centrale semble presque noire, mais c'est parce qu'elle est vue contre l'arrière-plan intensément clair du reste du Soleil.

Les taches solaires n'apparaissent qu'à l'occasion et peuvent être visibles pendant un jour ou plusieurs mois. La plupart le sont quelques semaines, apparaissent seules ou en groupe, et sont de tailles variables, depuis les petits pores de plusieurs centaines de kilomètres de diamètre jusqu'aux taches géantes de 100 000 kilomètres de diamètre. Si l'on observe une tache solaire pendant plusieurs jours, on la voit se déplacer le long du disque solaire, à cause de la rotation du Soleil, pendant 27 jours en moyenne. Comme le Soleil est composé d'éléments gazeux, il ne tourne pas comme un corps solide mais avec une rotation différentielle. Ces taches solaires sont très solidaires du champ magnétique solaire car ce sont des centres d'action magnétique. Elles donnent la fausse impression d'être des trous dans la surface du Soleil, mais elles n'en sont que des zones moins chaudes. Le nombre de taches solaires visibles à un moment quelconque est variable, mais atteint un maximum tous les onze ans en moyenne.

À proximité des taches solaires, il y a souvent une zone de photosphère plus chaude et plus lumineuse que d'habitude, et cette zone est connue sous le nom de plage. Dans ces régions de plage active, on observe des protubérances solaires qui sont de grandes langues de matière solaire qui s'élancent dans l'espace à plusieurs milliers de kilomètres.

Le Soleil est un corps actif, grondant, violent, qui diffuse de l'énergie, et les flamboiements irréguliers (qui durent de quelques secondes à quelques minutes) sont la manifestation de cette violence. Ces flamboiements provoquent des interruptions de radio et peuvent aussi affecter le champ magnétique terrestre. S'échappent aussi du Soleil des particules qui se meuvent rapidement (les électrons et les protons), et ce flot est connu sous le nom de vent solaire. Au moment d'une éclipse totale du Soleil, lorsque la photosphère est couverte par la Lune, la couronne (un léger halo gazeux qui entoure le Soleil) est visible et les flèches coronales dépassent de plusieurs diamètres solaires. L'accroissement des orages magnétiques au moment des taches solaires maximales semble indiquer qu'il existe une relation entre ce qui se passe dans le Soleil et sur la Terre. L'interférence dans la réception de la radio sur ondes courtes constitue le phénomène le plus représentatif des activités solaires.

Ainsi, le Soleil, bien qu'il soit insignifiant par rapport aux milliards d'autres étoiles, est pour nous le corps céleste le plus important de l'Univers, et sans lequel nous n'existerions pas.

En astrologie, le Soleil représente la puissance, la vie, la force génératrice de toute la création.

La Lune

C'est l'objet spatial le plus proche de nous, puisqu'il n'est éloigné de la Terre que de 400 000 kilomètres, ce qui, en termes d'astronomie, est une distance extrêmement petite.

La Lune brille en réfléchissant la lumière solaire et sa caractéristique la plus évidente est le fait qu'elle a des phases dans sa révolution autour de la Terre. Alors qu'elle se déplace sur son orbite, elle va de la nouvelle Lune (un mince croissant) jusqu'à la pleine Lune, et atteint l'autre côté du ciel par rapport au Soleil. Après la pleine Lune, elle décroît graduellement et régulièrement, de moins en moins illuminée du côté de la Terre, jusqu'à redevenir nouvelle, et le cycle continue. L'intervalle de temps qui sépare deux nouvelles Lunes consécutives s'appelle période synodique; elle dure 29 jours et demi, de telle sorte que le premier quartier arrive 7 jours et demi après la nouvelle Lune, la pleine Lune au bout de 14 jours et demi après la nouvelle Lune, et le dernier quartier environ 22 jours après la nouvelle Lune.

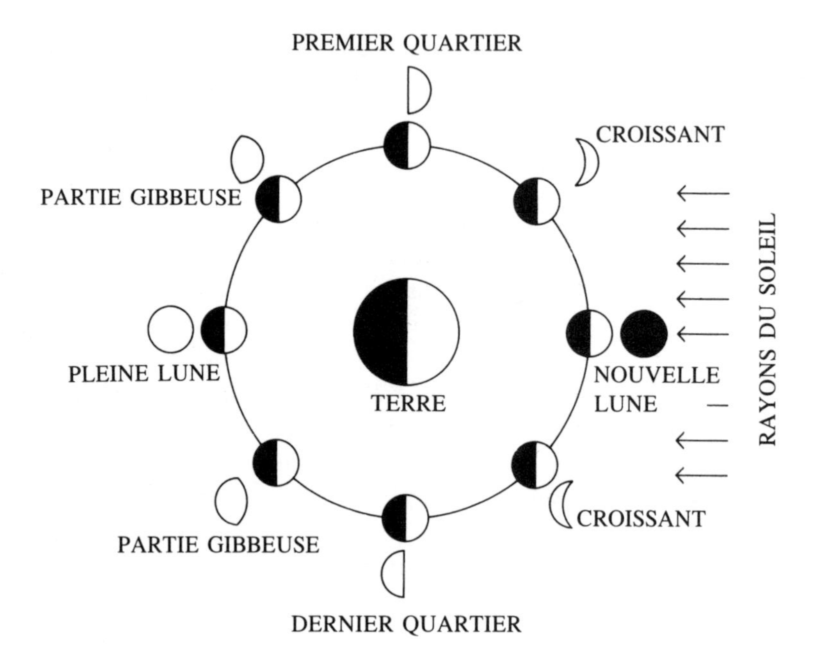

Figure 13. Les phases de la Lune

L'orbite de la Lune dans le ciel pendant le mois est inclinée à un angle de 5° 8′ par rapport à celle du Soleil, de telle sorte que la Lune suit de près la route du Soleil pendant le mois. C'est également la raison pour laquelle l'altitude de la Lune semble se modifier dans le ciel, et paraît tantôt haute, tantôt basse et tantôt moyenne.

Le déplacement journalier moyen de la Lune sur son orbite est de 13° 12′, mais il varie quelque peu et l'intervalle entre deux quartiers peut être de 6 à 9 jours. Comme ce mouvement se fait vers l'est, la Lune se lève environ 50 minutes plus tard chaque jour. La différence entre les heures de lever d'un jour à l'autre s'appelle la retardation. Cette retardation dépend de l'angle que l'orbite de la Lune fait avec l'horizon. Dans n'importe quelle phase, la Lune traverse le méridien à des altitudes différentes, selon l'époque de l'année.

Comme la Lune se lève chaque jour plus tard, elle apparaît dans différentes phases selon les heures du jour ou de la nuit. De telle sorte que la pleine Lune se lève au coucher du Soleil tout au long de l'année — mais en décroissant la Lune monte, atteint un point culminant, pour redescendre de plus en plus tard jusqu'au dernier quartier, et se lève vers minuit (bien qu'elle puisse se lever à 22 heures à la déclinaison maximum nord et à 2 heures du matin à la déclinaison maximum sud). Alors qu'elle atteint la nouvelle phase, elle se lève avec le Soleil, mais demeure invisible. De même une Lune croissante n'est visible que l'après-midi, le soir ou au tout début de la nuit.

L'orbite de la Lune fait avec l'écliptique un angle de 5° et les deux intersections de l'orbite de la Lune et du plan de l'écliptique s'appellent les noeuds. La ligne qui relie ces deux points s'appelle la ligne nodale, et elle se déplace vers l'ouest le long de l'écliptique, terminant la révolution rétrograde en 18,6 années. Lorsque la Lune, en se déplaçant vers le nord, traverse le plan de l'orbite terrestre, c'est au noeud ascendant, et lorsqu'elle se déplace vers le sud, c'est au noeud descendant. Si le plan de l'orbite de la Lune coïncidait exactement avec l'écliptique, une éclipse du Soleil se produirait tous les 29 jours et demi, et une éclipse de la Lune se produirait environ 14 jours après chaque pleine Lune. Cependant, à cause de l'inclinaison de l'orbite de la Lune par rapport à l'écliptique, une éclipse ne peut se produire que lorsque la nouvelle ou la pleine Lune coïncide avec un noeud de son orbite.

En termes d'astrologie, la Lune est un corps céleste très important; elle est associée au comportement instinctif, aux traits de caractère et aux habitudes. À cause de son déplacement rapide, elle "traverse" chaque signe du zodiaque tous les deux jours et demi et peut former diverses configurations avec les différentes planètes dans un court laps de temps. La recherche moderne tend à confirmer que les "secrets de bonnes femmes" en ce qui concerne l'influence de la Lune sur l'état d'esprit, la naissance et la nature peuvent, après tout, être bien fondés. En dépit des excentricités du mouvement de la Lune, il se peut que la "maîtresse volage" soit plus fiable et plus digne de confiance qu'on ne le pense.

Les éclipses solaires et lunaires

Les figures 14 et 15 illustrent comment se produisent les éclipses. Le Soleil, la Terre, la Lune et les distances qui les séparent ne sont pas à l'échelle puisque le diamètre du Soleil est 400 fois plus grand que celui de la Lune. Le Soleil et la Lune, dans le ciel, ont l'air d'être à peu près de la même taille; cela signifie que lorsque la Lune passe devant le Soleil, elle le recouvre complètement. Un tel phénomène est connu sous le nom d'éclipse solaire.

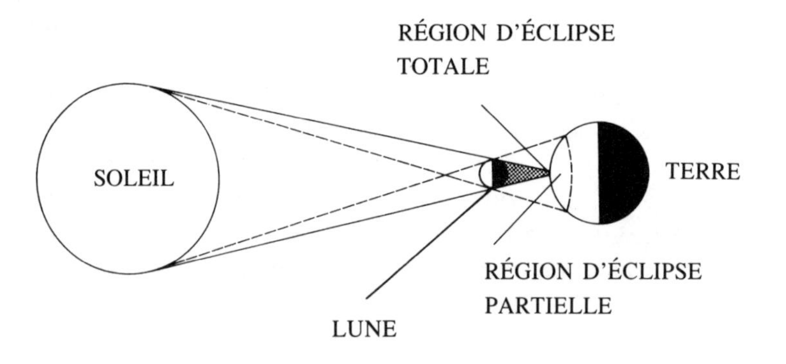

Figure 14. Éclipse solaire

Le plan du chemin parcouru par la Lune autour de la Terre fait un angle de 5° 8′ avec le plan de l'écliptique et, à cause de cela, les éclipses ne se produisent pas tous les mois, mais seulement lorsque l'un des deux noeuds de la Lune coïncide avec une nouvelle Lune (les noeuds, nous l'avons vu, sont les points d'intersection de l'orbite lunaire et de l'écliptique). Les éclipses, par conséquent, se produisent tous les six mois. Étant donné que la distance de la Terre à la Lune n'est pas constante, mais varie d'environ 10 p. 100, le cône d'ombre de la Lune n'atteint pas toujours la surface de le Terre et, dans ce cas, nous avons une éclipse annulaire pendant laquelle on aperçoit le halo du Soleil autour de la Lune. Même en éclipse totale, le cône d'ombre n'a jamais plus de 300 kilomètres de large sur la Terre. Ce cône trace une bande tandis que la Lune se meut dans l'espace et que la Terre tourne. Une éclipse totale ne s'aperçoit qu'en un endroit très limité de la Terre, mais, par contre, une éclipse partielle est visible sur un beaucoup plus grand territoire (plusieurs milliers de kilomètres de part et d'autre de l'éclipse totale). Lorsque le Soleil est complètement éclipsé, le ciel et la campagne deviennent noirs, quelques-unes des étoiles les plus brillantes deviennent visibles, de même que l'atmosphère du Soleil (la couronne).

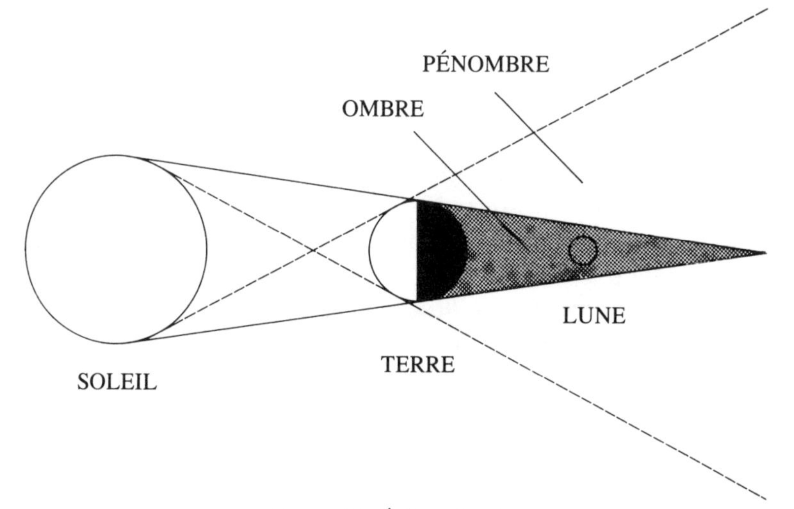

Figure 15. Éclipse lunaire

Lorsque la Lune passe dans l'ombre de la Terre, on a une éclipse lunaire. Comme avec les éclipses solaires, les éclipses lunaires se produisent à des intervalles de six mois lorsque l'un des noeuds de la Lune coïncide avec la pleine Lune. Contrairement aux éclipses solaires, les éclipses lunaires sont visibles dans l'hémisphère de la Terre qui est dans la nuit et, qui plus est, le diamètre transversal du cône d'ombre de la Terre est plus grand que le diamètre de la Lune. Cela signifie que la Lune peut être complètement éclipsée pendant une période de temps considérable, jusqu'à deux heures en fait, comparativement aux sept ou huit minutes maximum d'une éclipse solaire totale.

Si une partie seulement de la Lune passe par le cône d'ombre de la Terre, la Lune n'est que partiellement éclipsée; si elle ne traverse pas le cône d'ombre de la Terre mais la pénombre, il y a éclipse par la pénombre et la Lune semble légèrement terne. Pendant une éclipse lunaire totale, la Lune demeure quelquefois visible, brillant d'un léger éclat cuivré parce que la lumière du Soleil est réfléchie par l'atmosphère terrestre sur le cône d'ombre. Lors d'autres éclipses, la lumière de la Lune est complètement inexistante.

Les planètes

Introduction

Neuf planètes tournent autour du Soleil; parmi elles, la Terre. Ces planètes sont Mercure, Vénus, la Terre, Mars, Jupiter, Saturne, Uranus, Neptune et Pluton, par ordre croissant de leur distance au Soleil. Leurs orbites sont presque toutes sur un même plan de telle sorte qu'elles sont confinées sur une bande étroite du ciel que l'on appelle le zodiaque et dans laquelle elles semblent se mouvoir.

Mercure et Vénus, qui sont plus près du Soleil que la Terre, sont appelées planètes inférieures, tandis que celles dont l'orbite est plus grande que celle de la Terre sont appelées planètes supérieures ou lointaines (Mars, Jupiter, Saturne, Uranus, Neptune et Pluton). Les deux planètes inférieures ne peuvent jamais être en face du Soleil, mais de part et d'autre de lui alternativement, comme deux "étoiles" du matin et du soir. Les planètes supérieures, par contre, peuvent se placer dans toutes les positions par rapport au Soleil.

Dans le cours d'une année, ces planètes se situent successivement en conjonction (quand le Soleil passe devant elles), en quadrature matinale (formant un angle de 90° avec le Soleil), en opposition (exactement devant le Soleil) et en quadrature du soir (de nouveau 90° par rapport au Soleil), pour revenir en conjonction. Plus une planète est éloignée du Soleil, plus elle se déplace lentement et moins elle semblera s'être mue par rapport aux étoiles dans le cours d'une année. Parce qu'elles sont en orbite autour du Soleil, elles seront en opposition un peu plus tard chaque année.

Les planètes semblent normalement se déplacer vers l'est par rapport aux étoiles quand elles tournent autour du Soleil; près de l'opposition, le mouvement est renversé et la planète va légèrement vers l'ouest. Une planète qui se déplace vers l'ouest est dite en mouvement rétrograde. Plus la planète est près du Soleil, plus la rétrogradation est amplifiée. Cinq planètes seulement (Mercure, Vénus, Mars, Jupiter et Saturne) sont visibles à l'oeil nu. Les planètes les plus éloignées (Uranus, Neptune et Pluton) sont trop peu perceptibles pour être vues sans appareil d'optique. C'est pour cette raison que dans l'ancien temps on ne connaissait que les cinq planètes les plus brillantes. Uranus fut découverte en 1781, Neptune en 1846 et Pluton en 1930.

Le temps de révolution orbitale des planètes varie. Il faut à Mercure 88 jours, à Vénus 225 jours, à Mars presque deux ans, à Jupiter presque 12 ans et à Saturne 29 ans et demi pour compléter leur course autour du Soleil. À cause de ces différences, les planètes peuvent former toutes sortes de configurations les unes avec les autres par rapport aux étoiles. On peut donc avoir 2 ou 3 ou, très rarement, 4 ou 5 planètes visibles à l'horizon en même temps. Les conjonctions entre 2 ou 3 planètes peuvent se produire mais elles ne passent pas l'une devant l'autre parce que leurs orbites ne sont pas exactement sur le même plan. Chaque mois la Lune dépasse les planètes une à une et, parce qu'elle paraît relativement grosse dans le ciel, elle les masque au passage; ce phénomène s'appelle l'occultation.

La planète se distingue de l'étoile en ce que l'étoile scintille (en particulier lorsqu'elle est proche de l'horizon), mais pas la planète. Les étoiles génèrent leur propre luminosité, tandis que les planètes réfléchissent la lumière solaire.

Mercure

C'est la planète la plus proche du Soleil, son orbite se trouvant à une distance moyenne de 60 millions de kilomètres du Soleil. Son temps orbital est de 88 jours, de telle sorte que sa conjonction avec le Soleil se produit tous les 44 jours. Même quand elle est à sa distance maximum du Soleil (la plus grande élongation) l'angle entre Mercure et le Soleil n'est jamais supérieur à 27°. Mercure a une orbite tout à fait excentrique, et cela veut dire qu'à certaines des plus grandes élongations, sa distance au Soleil n'excède pas plus de 18°. Donc, dans les meilleures conditions, Mercure est difficile à voir, et il faudra un appareil optique pour l'apercevoir. Mercure est une très petite planète à peine plus grosse que la Lune, et dont le diamètre mesure environ 5 000 kilomètres. Elle n'a pratiquement pas d'atmosphère et, parce qu'elle est si proche du Soleil, la température de sa surface est très élevée (de l'ordre de 400°C).

En astrologie, Mercure représente toutes les formes de communications, les relations et les connaissances empiriques.

Vénus

C'est la seconde planète à partir du Soleil, à 100 millions de kilomètres de distance. Sa période orbitale est de 225 jours mais, parce que son orbite est beaucoup plus rapprochée de celle de la Terre que de celle de Mercure, les intervalles entre les conjonctions successives sont beaucoup plus longs (environ 1 an et 7 mois).

Parce que Mercure et Vénus sont toutes deux des planètes inférieures, elles semblent évoluer autour du Soleil de la même manière (vues de la Terre), et les deux apparaissent alternativement comme des étoiles du matin et du soir.

À sa plus grande luminosité, Vénus est plus éclatante que n'importe quel corps céleste, le Soleil et la Lune exceptés. Elle ressemble à un objet brillant de forme étoilée et elle est visible en plein jour. Tandis que les planètes inférieures tournent autour du Soleil, elles sont d'abord en position de conjonction inférieure (entre le Soleil et la Terre), elles sont ensuite en position d'élongation du matin ou orientale (distance maximum à l'ouest du Soleil), puis elles se retrouvent en conjonction supérieure (quand elles sont le plus loin du Soleil), puis enfin, en position d'élongation du soir ou occidentale (distance maximum à l'est du Soleil), avant de revenir en conjonction inférieure.

Le temps total pris pour effectuer un cycle complet est appelé temps synodique. Pour Mercure, c'est 3 mois et demi, et pour Vénus 1 an et 7 mois. Lorsque Vénus est en élongation orientale et en élongation occidentale, sa plus grande distance par rapport au Soleil est de 47° et, contrairement à Mercure, elle est visible la nuit. Le diamètre de Vénus est de 12 000 kilomètres et sa masse n'est guère moindre que celle de la Terre; sa température est d'environ 400 °C.

En astrologie, Vénus représente l'harmonie, l'unité et la coopération sous toutes ses formes.

Mars

Mars est la première des planètes lointaines (dont les orbites sont plus grandes que celle de la Terre). Elle n'a que la moitié environ du diamètre de la Terre, et il lui faut 687 jours, soit presque deux de nos années, pour faire le tour du Soleil, à une distance moyenne de 225 millions de kilomètres.

Elle peut s'opposer au Soleil dans le ciel et de telles oppositions se produisent tous les 2 ans et 2 mois. Son orbite, cependant, est très excentrique, comme celle de Mercure, et sa distance à la Terre varie donc d'opposition en opposition.

Quand elle est le plus rapprochée du Soleil, Mars est dite en périhélie; et quand elle en est le plus éloignée, elle est en aphélie. L'axe de Mars est incliné à un angle de 25° par rapport à la perpendiculaire du plan de son orbite et, pour cette raison, cette planète a des saisons, comme la Terre. Parce que l'axe de Mars est toujours dans la même direction, on verra des pôles différents aux différentes oppositions. Son temps de rotation est de 24 heures, 37 minutes. À cause de sa composition minérale, elle est d'apparence rougeâtre et est sujette à de violentes tempêtes de poussière.

Mars a deux satellites (ou lunes), appelés Déimos et Phobos (Terreur et Peur). Déimos prend 30 heures à faire le tour de Mars, et Phobos 7 heures et demie. Ce dernier satellite présente un phénomène intéressant en ce que, pour un observateur sur Mars, Phobos se lèverait à l'ouest et se coucherait à l'est trois fois par jour.

En astrologie, Mars représente les principes de l'énergie et de l'initiative.

Jupiter

C'est la plus grande planète du système solaire; son diamète mesure 140 000 kilomètres, soit 11 fois celui de la Terre. Elle fait sa ronde autour du Soleil à une distance moyenne de 750 millions de kilomètres et il lui faut 11,86 ans pour compléter une orbite.

Vue au télescope, Jupiter est de couleur blanchâtre et elle est ceinturée par un certain nombre de bandes plus ou moins sombres qui tournent à des vitesses différentes. Elle est différente des planètes précédentes en ce qu'elle est constituée en grande partie d'éléments gazeux (du moins au niveau des couches supérieures), dont l'hydrogène est le principal constituant. Mais cette planète possède une autre caractéristique intéressante: une tache rouge géante, que les astronomes pensent être une sorte de phénomène atmosphérique, et qui change de couleur en passant du rose au rouge.

Cette planète géante a au moins 13 satellites, dont 4 sont visibles à travers n'importe quel petit télescope, parce qu'ils sont gros et brillants, avec des diamètres de 3 000 à 5 000 kilomètres. Ces 4 satellites, appelés lunes galiléennes, furent découverts par Galilée en 1610 avec le télescope qu'il inventa.

Les autres satellites sont beaucoup moins perceptibles et pourraient être des planètes mineures attirées par la force de gravitation de Jupiter.

On pensa longtemps que Jupiter jouait le même rôle que les étoiles, émettant comme elles de l'énergie et de la lumière, bien que plus faiblement. On sait maintenant que c'est impossible; une étoile véritable brille en son centre. Or, si grande soit-elle, la masse de Jupiter n'est pas assez importante pour générer les pressions et les températures nécessaires à la transformation de l'hydrogène en hélium. Comme elle tourne sur elle-même en moins de 10 heures, Jupiter a la rotation la plus rapide de toutes les planètes et cela cause un léger aplatissement de ses pôles.

En astrologie, Jupiter représente le principe d'expansion sous toutes ses formes.

Saturne

C'est la deuxième des planètes géantes; elle décrit une orbite autour du Soleil à une distance de 1 400 millions de kilomètres en vingt-neuf ans et demi. Elle n'est pas beaucoup plus petite que Jupiter puisque son diamètre moyen est de 120 000 kilomètres. Les anneaux de Saturne sont au nombre des caractéristiques les plus frappantes de cette planète; ils sont constitués de millions de particules qui tournent dans le plan de l'équateur de l'astre. La révolution de Saturne prend 10 heures 14 minutes, et cette rotation rapide cause un aplatissement appréciable des pôles et un renflement à l'équateur dans la proportion de 1 à 10 (elle est donc plus ellipsoïdale que Jupiter). Saturne est très semblable à Jupiter dans sa constitution, l'une et l'autre étant surtout composées d'hydrogène; c'est la planète dont la densité est la plus faible, sa densité moyenne étant de 0,71 (par rapport à l'eau).

Lorsque Galilée observa Saturne pour la première fois en 1610, il ne pouvait pas voir facilement les anneaux parce que les lentilles de son télescope étaient de mauvaise qualité. L'astronome hollandais Huygens les aperçut pout la première fois en 1655 et les décrivit comme "un anneau plat qui ne touche la planète en aucun point et est incliné par rapport à l'écliptique". Il y a quatre anneaux concentriques. L'anneau extérieur, qui est blanc mat, a 15 000 kilomètres de large; il y a ensuite un espace de 5 000 kilomètres (connu sous le nom de division de Cassini, du nom de son découvreur); le troisième anneau est parcouru par une ligne au travers de laquelle on peut voir la lumière des étoiles; le quatrième, le plus proche de Saturne, n'est visible qu'avec un télescope puissant.

Alors que la planète fait une révolution autour du Soleil en vingt-neuf ans et demi, les anneaux font face à la Terre tous les quinze ans et sont alternativement réunis et séparés tous les sept ans et demi. Lorsqu'ils sont réunis, ils ne sont visibles qu'avec les lunettes astronomiques les plus puissantes.

On sait que Saturne a 11 satellites, tous en révolution au-delà des anneaux. Le plus gros de ces satellites est Titan, dont le diamètre de 6 000 kilomètres en fait la plus grande lune du système solaire.

En astrologie, Saturne représente les principes de contraction et de limitation.

Uranus

Jusqu'en 1781, on crut que Saturne était la planète la plus élignée qui existât. Cette année-là, Herschel faisait des recherches astronomiques (dénombrant les étoiles dans des régions choisies du ciel), lorsqu'il nota, le 13 mars, la présence au milieu des étoiles d'un petit disque clair que l'on n'avait encore jamais vu. Des observations subséquentes permirent d'en calculer l'orbite et ce fut la découverte d'une nouvelle planète, bien au-delà de Saturne.

Uranus a une période de révolution autour du Soleil d'environ 84 ans, à une distance moyenne de 3 000 millions de kilomètres du Soleil. Son diamètre a été évalué à 45 000 kilomètres (soit un peu moins de 4 fois celui de la Terre). Une de ses caractéristiques intéressantes est son inclinaison axiale extrêmement élevée de 98° par rapport à la perpendiculaire au plan de son orbite. Cela signifie que ses pôles nord et sud et son équateur pointent alternativement vers la Terre aux solstices et aux équinoxes.

Sans aide optique, Uranus est pratiquement invisible, puisqu'elle était à la limite de la vision jusqu'à ce que le télescope soit inventé. Elle ressemble à un petit disque sur lequel on ne distingue aucune marque. Seuls les plus puissants télescopes permettent d'apercevoir (et encore, avec difficulté) des bandes grisâtres parallèles à l'équateur comme celles de Jupiter et de Saturne, et qui sont plus foncées que le reste de la surface de teinte verdâtre.

Uranus a une révolution relativement rapide de 10 heures 48 minutes, d'où l'aplatissement appréciable de ses pôles (comme pour Saturne et Jupiter). La composition exacte d'Uranus n'est pas connue, mais elle a probablement un noyau central solide, et une atmosphère d'hydrogène et d'hélium avec des nuages de méthane; s'il y a de l'ammoniac, il doit être à l'état de congélation à cause de la température extrêmement basse de l'atmosphère (-190°C).

Elle a cinq satellites, dont les diamètres varient de 300 à 1 000 kilomètres, avec des périodes de révolution variant de 1 jour et demi à 13 jours et demi. Deux de ces satellites furent découverts par Herschel en 1787. Des observations faites en 1977 donnent à penser qu'Uranus a peut-être un système d'anneaux semblable à ceux de Saturne, mais qui sont trop imprécis pour être vus de la Terre.

En astrologie, Uranus représente ce qui est nouveau et inattendu, et elle est associée aux changements et aux interruptions.

Neptune

Après que l'on eut observé Uranus pendant plusieurs décades, il devint évident qu'elle ne se déplaçait pas comme on l'avait prévu, mais se comportait comme si une autre planète inconnue affectait sa gravitation (phénomène de perturbation). La masse et la position de cette planète inconnue avaient été prévues par Adams en Angleterre, et par Leverrier en France; les calculs de Leverrier furent envoyés à l'Observatoire de Berlin en septembre 1846, où le 23 du même mois les astronomes d'Arrest et Galle découvrirent la nouvelle planète à moins d'un degré de la position présumée. La planète fut baptisée Neptune;

elle est plus éloignée qu'Uranus. Elle tourne autour du Soleil à une distance moyenne de 4 500 millions de kilomètres avec un temps de révolution de 165 ans. Au moment de sa découverte, elle était dans la constellation du Capricorne, où elle ne se trouvera de nouveau qu'en l'an 2011.

On pensa d'abord que le diamètre de Neptune était d'environ 45 000 kilomètres, la rendant légèrement plus petite qu'Uranus, mais des calculs de mesure plus récents (1969) lui en attribuent 50 000. La composition exacte de Neptune n'est pas connue, mais elle a probablement un noyau solide et son atmosphère est composée d'hydrogène, d'hélium et de méthane. Il est également difficile, même avec un puissant télescope, de déterminer les éléments qui composent les taches observées à l'occasion à la surface de l'astre. Son atmosphère est aux environs de -220°C. La couleur prédominante de cette planète est le blanc bleuté; elle ressemble beaucoup à Uranus. Neptune, Uranus, Saturne et Jupiter sont appelées les quatre géantes gazeuses; ce sont de grosses planètes de densité relativement faible et dont l'atmosphère représente une partie appréciable de la masse totale.

Neptune a 2 satellites. Triton est l'une des plus grandes lunes du système solaire; elle fut découverte par Lassell en 1846, quelques semaines après la découverte de Neptune. Néréide est beaucoup plus petite (300 kilomètres) et fut découverte par Kuiper en 1949; elle tourne autour de Neptune en 362 jours, tandis que Triton effectue sa révolution en 6 jours. La découverte de Neptune confirma de façon éclatante la justesse des lois de Newton concernant les masses et le mouvement des planètes.

En astrologie, Neptune représente l'abstraction, l'irréalité, l'isolement et le retrait.

Pluton

Tout comme pour Uranus, on s'aperçut que Neptune s'éloignait de l'orbite prévisible, ce qui amena les astronomes à faire l'hypothèse d'une neuvième planète au-delà. L'astronome Lowell (qui avait aussi découvert les canaux de Mars) fit des calculs pour déterminer la masse et la position d'une planète inconnue que l'on pensait responsable des irrégularités d'orbite d'Uranus et de Neptune. Une recherche photographique de grande envergure faite par Tombaugh de l'observatoire Lowell à Flagstaff, en Arizona, amena la découverte de cette planète tout à fait excentrique qui se déplace selon une orbite très inclinée par rapport à l'écliptique (de 17° environ). Pluton fut découverte en 1930 (quatorze ans après la mort de Lowell). Sa distance moyenne au Soleil est de 6 000 millions de kilomètres et sa révolution est de 248 ans.

À cause de cette orbite très excentrique (beaucoup plus que celle de n'importe quelle autre planète), Pluton se trouvera dans l'orbite de Neptune en 1989, au moment de sa périhélie. Toutefois, en raison de cette inclinaison particulièrement marquée, il y a peu de chances de collision avec Neptune.

Aucune tache n'est visible sur Pluton puisqu'il est difficile de la voir sous forme de disque, même avec les plus gros télescopes; cependant, grâce à l'observation des fluctuations de luminosité de la planète, on en a déduit que le temps de rotation était de 6 jours 9 heures. Contrairement aux quatre planètes précédentes, Pluton est entièrement solide. De la surface de cette planète, le Soleil ne serait perçu que comme une étoile brillante qui ne l'éclairerait pas plus que ne le fait la Lune avec la Terre.

Sa surface est excessivement froide; la température y est aux environs de -230°C (soit entre 40°C et 50°C seulement au-dessus du zéro absolu). Il est douteux que Pluton ait une atmosphère parce que la faible gravité de sa surface ne pourrait retenir des gaz tels que l'hydrogène ou l'hélium, et les températures extrêmement basses font que des composés tels que l'eau, le bioxyde de carbone, l'ammoniac et même le méthane ne peuvent exister à sa surface qu'à l'état solide.

La taille de Pluton n'est pas connue avec certitude. Les estimés de son diamètre varient entre 3 000 et 10 000 kilomètres. La masse de la planète représente environ 1/10 de celle de la Terre, mais là encore l'évaluation est incertaine. De plus, cette masse n'est, de loin, pas suffisamment grande pour provoquer les perturbations de Neptune, qui amenèrent la découverte de Pluton. Certaine explication veut que la taille et la masse estimées de la planète soient très au-dessous de la réalité et que sa surface soit couverte de glace, de telle sorte qu'elle brillerait comme un miroir sombre. Ce que l'on voit sur Pluton serait dû alors à la réflexion du Soleil sur la glace, tandis que le reste de la planète resterait invisible. À partir de cette théorie, Pluton pourrait être beaucoup plus grande que la Terre. Une autre théorie affirme qu'il existerait une dixième planète au-delà de Pluton, dont la masse serait suffisante pour expliquer les perturbations de Neptune. Toute recherche d'une nouvelle planète serait extrêmement difficile et exigerait des radiotélescopes énormes.

En 1978, on repéra un satellite de Pluton, lequel est presque aussi grand qu'elle (bien que sa masse en soit beaucoup plus petite); Pluton est donc, en fait, une double planète. Cela explique en partie les perturbations de Neptune, et il est fort possible que d'autres planètes existent au-delà de Pluton.

En astrologie, Pluton est une planète très intéressante et représente le principe de la régénération, les commencements et les conclusions.

Rétrogression

Si l'on observe le mouvement d'une planète supérieure (celles qui se trouvent au-delà de la Terre), on s'aperçoit qu'elle ne se propulse pas toujours vers l'est dans le firmament, mais aussi vers l'ouest pendant un certain temps, au moment de l'opposition.

Ceci se produit parce que la Terre, dont une révolution autour du Soleil prend moins de temps que celle de la planète supérieure, la dépasse quand elle se trouve en opposition; ce phénomène est connu sous le nom de rétrogression. Ce mouvement de recul apparent est la conséquence d'une chute de la planète derrière la Terre. On remarque qu'une planète inférieure se propulse en direction rétrograde lorsqu'elle dépasse la Terre. Dans les éphémérides, ce mouvement rétrograde est symbolisé par le glyphe ℞.

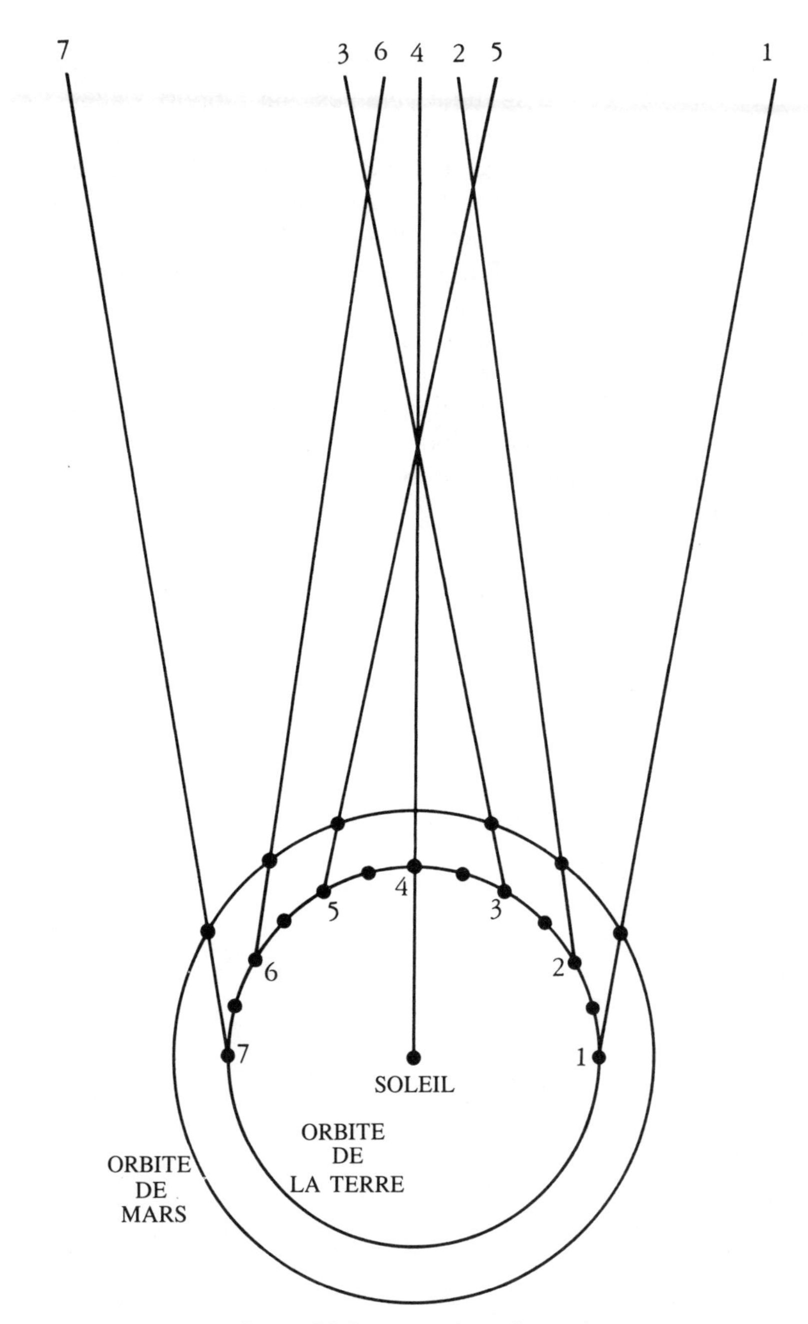

Figure 16. Le mouvement rétrograde

Sur la figure 16, la Terre, en position 1, voit Mars en 1 sur le fond des étoiles et elle se meut vers l'est par rapport à elles. Ce mouvement vers l'est se ralentit tandis que les deux planètes vont de 1 vers 2, puis vers 3. Entre 3 et 4, Mars semble s'immobiliser (le point où ceci se produit s'appelle le point stationnaire), puis va vers l'ouest pour atteindre sa vitesse maximum vers l'ouest à l'opposition (4). Entre 4 et 5, Mars semble s'arrêter de nouveau, après quoi elle reprend son cheminement normal vers l'est. Plus la planète est éloignée du Soleil, moins elle rétrograde.

En astrologie, on a donné à ce phénomène une importance qu'il ne mérite pas et l'on a fait (et l'on continue de faire) beaucoup de déclarations absurdes en ce qui concerne l'influence des planètes rétrogrades.

Chapitre 4

LE TEMPS (I): LE CALENDRIER

Introduction

La notion du temps est quelque chose d'insaisissable. Nous ne savons pas ce qu'est l'heure, mais nous savons l'heure qu'il est. Des appareils sophistiqués de mesure du temps nous permettent de nous assurer n'importe quand de l'heure exacte à la fraction de seconde près, mais nous sommes incapables de la définir. Nous ne pouvons pas changer le temps; c'est le temps qui nous permet de noter les changements. Le temps et la perception que nous en avons nous permettent de faire la distinction entre passé, présent et futur, et de nous rappeler le passé, d'observer le présent et d'envisager l'avenir.

Pour les premiers hommes, le temps qui passait était en rapport avec leur existence primitive; leur vie se déroulait dans un environnement hostile et soumis au changement des saisons et sans doute le cours des événements était-il lié à celui des différents changements observés dans le ciel. Les mouvements du Soleil et de la Lune, le déplacement lent et graduel des différentes constellations devinrent les bases de la reconnaissance du temps qui passait. Le voyage annuel de la Terre autour du Soleil et le passage mensuel de la Lune dans ses transformations entre la nouvelle et la pleineLune indiquaient une séquence et un rythme qui pouvaient être mesurés et finalement adoptés pour les besoins de la communauté.

La chronométrie est basée sur notre connaissance des mouvements relatifs les uns aux autres de la Terre et des corps célestes. À partir des connaissances astronomiques des premiers hommes, nous avons fixé les fondements de mesure du temps, et ceci a contribué au développement de la science moderne. Fondamentalement cependant, la perception du temps représente un facteur tout aussi important, car sans elle il n'y aurait que peu ou pas d'association possible entre passé, présent et avenir.

Le calendrier

Pour les hommes de l'Antiquité, le ciel devait représenter l'image du mystérieux et du surnaturel. Pour les premiers hommes, le mouvement apparent du Soleil et de la Lune, associé à ceux des autres corps célestes, représentait des forces qui demandaient interprétation et compréhension, surtout lorsque certains phénomènes célestes semblaient correspondre à certains événements terrestres. La peur de l'inconnu et certaines croyances superstitieuses qui y étaient reliées firent que l'homme primitif se créa une mythologie du ciel. Les différentes configurations qu'il observait dans le ciel dans le cours du temps devinrent, grâce à son imagination, des animaux, des dieux et des déesses, des héros et des démons. Ces configurations célestes (les constellations) pouvaient être identifiées et rattachées à la tradition populaire de la tribu ou de la communauté. L'observation du ciel (d'abord faite pour les présages, bons ou mauvais) accrut ses connaissances, et ce qui avait été considéré comme inexplicable et mystérieux fut graduellement accepté et adapté à des fins plus pratiques. Toutes les civilisations, aussi éloignées ou isolées qu'elles aient été, ont eu des mythes de nature semblable; cette mythologie, qui joua un rôle important dans les rituels et autres activités semblables, était fondée sur l'observation astronomique. Ces observations furent la base d'une certaine astronomie et de sa contrepartie symbolique (l'astrologie), ce qui permit la computation d'un système de mesure du temps et l'établissement d'une chronologie.

Pendant les quelques dernières décades, les travaux de recherche et les fouilles des ruines mégalithiques qui s'étendent de l'Amérique du Nord à l'Amérique du Sud, et de Carnac (en Bretagne) aux îles écossaises, montrent que l'homme préhistorique avait connaissance des alignements célestes et était capable de construire d'énormes structures astronomiques avec une précision remarquable. La science de l'archéo-astronomie en est encore à ses débuts mais, au fur et à mesure de son fascinant développement, les découvertes confirmeront sans doute que les premiers hommes avaient une connaissance du ciel et des mouvements célestes du Soleil et de la Lune qui dépasse en importance et en sophistication tout ce que nous avions imaginé jusqu'alors à ce sujet.

Pendant de longues époques, les observations du ciel permirent aux premières civilisations de fabriquer une sorte de calendrier basé sur la Lune, les calculs s'effectuant sur une période allant d'une nouvelle Lune à une autre. Lorsque les connaissances en astronomie s'accrurent, les observateurs se rendirent compte que le Soleil, la Lune et les planètes se déplaçaient selon des cycles prédéterminés et parcouraient toujours le même chemin dans le ciel. Le Soleil, dans son déplacement journalier d'est en ouest, indiquait les périodes nocturnes et diurnes, tandis que la Lune, dans sa course mensuelle, passait de la nouvelle à la pleine Lune. Tous ces phénomènes furent retenus et quand ils furent rapportés dans l'histoire, la durée de l'année solaire était évaluée à 365,25 jours.

Les anciennes civilisations babylonienne, chinoise et indienne inventèrent un système de mesure du temps, leurs calendriers étant basés sur les cycles lunaires et /ou solaires. Les Égyptiens connaissaient l'année de 365,25 jours, leurs calculs étant basés sur l'ascension héliaque de Sirius, l'étoile la plus brillante du ciel. Après les conquêtes d'Alexandre le Grand, l'astronomie et l'astrologie de l'Égypte, de Babylone et de l'Inde furent adoptées par la Grèce et l'année solaire-lunaire remplaça leur année lunaire. Ces connaissances anciennes se propagèrent et les hypothèses émises par les Babyloniens constituèrent les fondements de l'astronomie grecque.

Cependant, les constantes guerres de conquêtes qui précédèrent l'ère chrétienne firent peu pour encourager une réforme du calendrier. Ce ne fut pas avant 45 av. J.-C. qu'une tentative sérieuse fut entreprise pour faire correspondre les nombreux calendriers du monde connu. Le calendrier julien (de Jules César, qui fut l'initiateur des réformes) est maintenant connu sous le nom de vieux calendrier et il fut adopté jusqu'en 1582, date à laquelle il fut remplacé par le calendrier grégorien ou nouveau calendrier. Le calendrier julien comportait plusieurs réformes dont l'introduction de l'année bissextile, l'abolition de l'année lunaire, la fixation de l'année solaire moyenne à 365,25 jours, la redistribution des jours du mois et le retour de l'équinoxe au mois de mars. Il fut utilisé jusqu'en 1577, époque à laquelle des corrections furent apportées pour aboutir au calendrier grégorien ou nouveau calendrier, qui fut entériné cinq ans plus tard; c'est le calendrier que nous utilisons.

Le nouveau calendrier fut introduit parce qu'il était devenu évident pour les astronomes que le vieux calendrier, fondé sur l'année julienne de 365,25 jours, n'était pas tout à fait compatible avec l'année tropicale; l'année julienne de 365,25 jours était en fait en avance de 11 minutes sur l'année tropicale, et cette avance qui durait depuis plusieurs siècles avait fini, au XVIe siècle, par s'élever à 10 jours. Si cette erreur n'avait pas été corrigée, la différence aurait continué à s'accumuler de telle sorte que Noël, Pâques et les autres fêtes n'auraient pas eu lieu aux bonnes saisons!

L'utilisation du nouveau calendrier fut autorisée par le pape Grégoire à compter du 15 octobre 1582. Dix jours furent retranchés, ramenant la date au 5 octobre 1582. Ce nouveau calendrier différait d'avec le vieux dans sa manière de traiter les années bissextiles. L'année bissextile devait se reproduire tous les quatre ans, mais les années marquant les nouveaux siècles ne devaient être bissextiles que si leur nombre était exactement divisible par 400. En conséquence, les années 1200, 1600 et 2000 sont des années bissextiles, mais 1700, 1800 et 1900 ne le sont pas.

Malgré l'introduction de ce nouveau calendrier en 1582, il ne fut pas adopté universellement et bien des pays continuèrent d'utiliser le vieux calendrier pendant plusieurs siècles. Les pays catholiques l'adoptèrent volontiers; l'Italie, la France, l'Espagne et le Portugal le firent en 1582. Les États catholiques allemands, la Prusse, la Suisse, la Hollande et les Flandres en 1583; la Pologne en 1586, la Hongrie en 1587; l'Allemagne et les États protestants des Pays-Bas, ainsi que le Danemark, en 1700. En Suède, le changement fut graduel et obtenu en enlevant 11 journées bissextiles entre 1700 et 1740. La Grande-Bretagne et ses colonies, dont celles de l'Amérique du Nord, se convertirent au nouveau calendrier en 1752. Certains États européens ne changèrent pas avant la première partie du XXe siècle. Ce fut en 1915 pour la Bulgarie, en 1918 pour la Turquie et la Russie soviétique, en 1919 pour la Yougoslavie et la Roumanie, et en 1916 pour la Grèce. Le Japon l'adopta en 1872 et la Chine en 1912.

Il est donc très important, lorsque des dates sont données, de savoir quel était le calendrier en usage dans le pays en question. Utiliser le vieux calendrier pour une naissance dans ce siècle résulterait en une erreur de 13 jours. La date de naissance de Shakespeare est fixée au 23 avril, mais il s'agit du vieux calendrier. Dans le nouveau calendrier, elle est donc du 3 mai (10 jours de plus). Pour passer du vieux au nouveau calendrier, il faut ajouter au vieux calendrier le nombre de jours suivants:

	Siècle	*Jours*		*Siècle*	*Jours*
0-99	Ier	− 1	1000-99	XIe	+ 6
100-99	IIe	− 1	1100-99	XIIe	+ 7
200-99	IIIe	0	1200-99	XIIIe	+ 7
300-99	IVe	+ 1	1300-99	XIVe	+ 8
400-99	Ve	+ 1	1400-99	XVe	+ 9
500-99	VIe	+ 2	1500-99	XVIe	+ 10

600-99	VIIe	+ 3	1600-99	XVIIe	+ 11
700-99	VIIIe	+ 4	1700-99	XVIIIe	+ 11
800-99	IXe	+ 4	1800-99	XIXe	+ 12
900-99	Xe	+ 5	1900-99	XXe	+ 13

Exemple: le 1er janvier 1923 du vieux calendrier équivaut au 14 janvier du nouveau calendrier (ajouter 13 jours pour le XXe siècle).

Chapitre 5

LE TEMPS (II): HEURE SIDÉRALE, HEURE SOLAIRE ET CONVERSIONS

Principes fondamentaux de la mesure du temps

La rotation de la Terre autour de son axe par rapport au mouvement angulaire apparent des corps célestes est à la base de la mesure du temps; on peut définir un jour comme étant l'intervalle entre deux passages successifs du même corps céleste sur un méridien en particulier. Dans le cas du Soleil, il s'agit d'un jour solaire; s'il s'agit d'une étoile ou du degré 0 du Bélier, c'est un jour sidéral.

Le grand cercle (le méridien céleste de l'observateur), qui passe par les points nord et sud de l'horizon et le point directement au-dessus de sa tête (le zénith), coïncide avec le méridien de longitude de l'observateur. Le moment où un corps céleste ou un point se trouve sur le méridien de l'observateur est appelé la culmination, le passage ou le passage méridien de ce corps ou de ce point.

Méthodes de mesure du temps

Il y a deux méthodes pour mesurer le temps à partir de la rotation de la Terre:

a) par rapport au Soleil — c'est l'heure solaire;

b) par rapport aux étoiles — c'est l'heure sidérale.

Ces deux méthodes de même principe diffèrent cependant en ce que le jour solaire et le jour sidéral ne sont pas de même durée.

Variations du temps

Le temps nécessaire au Soleil pour effectuer deux passages méridiens successifs est appelé jour solaire apparent mais, comme il varie selon les saisons, il est nécessaire de définir un jour solaire moyen. Les variations de la durée d'un jour sont dues à deux facteurs:

1. Le Soleil ne se déplace pas le long de l'écliptique à une vitesse constante en raison de la distance variable du Soleil à la Terre pendant le cours de l'année.

2. Le Soleil se propulse le long de l'écliptique et non pas le long de l'équateur céleste.

Sa longitude céleste (mesurée sur l'écliptique) est en général différente de son ascension droite (mesurée sur l'équateur céleste). La révolution du Soleil fait qu'il se trouve à un degré d'arc plus à l'est chaque jour et que, par conséquent, la Terre doit tourner d'un degré d'arc, soit 4 minutes de temps, pour le ramener au méridien le lendemain.

Pour rétablir les variations du mouvement apparent ou réel du Soleil, on utilise un Soleil moyen qui se déplace vers l'est, le long de l'équateur céleste, à une vitesse constante égale à la vitesse moyenne du Soleil vrai le long de l'écliptique. Le temps qui s'écoule entre deux passages inférieurs successifs du Soleil moyen est appelé moyenne solaire ou jour civil, et il est d'environ 4 minutes de temps plus long que le jour sidéral.

L'équation du temps

L'heure indiquée par un cadran solaire est connue sous le nom de temps apparent ou temps solaire vrai, et elle diffère de l'heure solaire moyenne d'une quantité appelée l'équation du temps. En raison du déplacement non uniforme de la Terre par rapport au Soleil à cause de la forme elliptique de son orbite, et parce que le Soleil se déplace le long de l'écliptique alors que le Soleil moyen se déplace le long de l'équateur céleste, l'heure solaire apparente et l'heure moyenne diffèrent l'une de l'autre. Cette différence (l'équation du temps) varie tout au long de l'année. La vitesse angulaire de la Terre sur son orbite n'est pas constante et atteint son maximum en janvier quand la Terre est le plus près du Soleil. Aux équinoxes, le jour solaire apparent est plus court que la moyenne, tandis qu'aux solstices, il est plus long. À certaines époques de l'année, le Soleil vrai est en avance sur le Soleil moyen et réciproquement, à d'autres époques, le Soleil moyen est en avance sur le Soleil vrai.

Du 25 décembre au 15 avril, et de la mi-juin à la fin août, le Soleil vrai est en avance sur le Soleil moyen. Entre la mi-avril et la mi-juin, et de la fin août jusque vers le 25 décembre, le Soleil moyen est en avance sur le Soleil vrai. En février, l'équation du temps atteint sa valeur maximum de −14 minutes, alors qu'au début de novembre elle est de 16 minutes. La vitesse du Soleil vrai correspond à celle du Soleil moyen quatre fois par an, autour des 15 avril, 14 juin, 1er septembre et 25 décembre. La valeur de l'équation du temps à ces dates est évidemment nulle. À ces dates encore, l'heure indiquée sur un cadran solaire correspondra à l'heure moyenne (heure de l'horloge); le midi vrai et le midi moyen coïncident.

Les premiers navigateurs n'eurent pas grande difficulté à déterminer leur latitude car, en observant le Soleil de midi alors qu'il est sur le méridien, ils pouvaient la calculer à partir de l'altitude observée du Soleil et qui, soustraite de 90°, donnait sa distance par rapport au zénith; en ajoutant ou en enlevant la déclinaison du Soleil, selon la date de l'observation, ils en déduisaient la latitude. C'était par contre plus difficile pour la longitude, et ce ne devint possible avec précision qu'avec l'invention du chronomètre marin par Harrison au XVIIIe siècle.

Comme le Soleil culmine toujours à midi, heure apparente, la longitude en heures et en minutes peut être déterminée en notant le midi solaire à l'heure de Greenwich, en lui appliquant l'équation du temps et en convertissant le résultat en degrés.

Pour les thèmes astrologiques, nous ne nous préoccupons pas de l'équation du temps et utilisons l'heure moyenne et l'heure sidérale.

L'heure sidérale

Elle est calculée par le passage au degré 0 du Bélier, et le jour sidéral est l'intervalle de temps entre deux passages successifs à ce point.

Le temps sidéral mesure la rotation de la Terre par rapport au degré 0 du Bélier (équinoxe de printemps) et il est identique à l'ascension droite du méridien.

En un jour sidéral, la Terre tourne autour de son axe en 23 h 56 min 4 sec de temps moyen (heure légale) et, pour un observateur qui se trouve à une certaine longitude, le jour sidéral équivaut au temps de rotation apparent de la sphère céleste. La durée de cette rotation peut être évaluée en mesurant l'intervalle entre deux passages supérieurs successifs au méridien de degré 0 du Bélier d'une étoile donnée.

L'heure sidérale, à un moment quelconque, est l'angle horaire de l'équinoxe de printemps exprimé en mesure de temps ou, en d'autres mots, l'angle formé par le méridien de l'observateur et un corps céleste ou un point mesuré vers l'ouest à partir du méridien dans une direction parallèle à l'équateur céleste.

Parfois, sur une période de 24 heures, le degré 0 du Bélier sera sur le méridien, et l'heure à laquelle cela se produira dépendra de la longitude de l'observateur et du moment de l'année.

Lorsque le degré 0 du Bélier est sur le méridien, son angle horaire est égal à 0 et l'heure sidérale est aussi égale à 0. La rotation constante de la sphère céleste augmente cet angle et, à 45° par exemple, 3 heures se seront écoulées; l'heure sidérale sera donc de 3 heures. À 90°, il sera 6 heures, et ainsi de suite jusqu'à 24 heures, alors que le degré 0 du Bélier sera de nouveau sur le méridien.

L'heure sidérale est toujours locale; il ne peut en être autrement. La différence entre l'heure sidérale locale et l'heure sidérale de Greenwich correspond à la longitude de l'observateur exprimée en temps, une heure équivalant à 15°, puisque la Terre tourne de 15° par heure. Les points situés sur un même méridien ont la même heure sidérale locale. L'heure sidérale de Greenwich est commune à tous les points situés sur son méridien, quelles qu'en soient les latitudes. Tous les autres points de la Terre qui ne se trouvent pas sur le méridien de Greenwich auront une heure sidérale locale différente de celle de Greenwich et cette différence dépendra de leur longitude à l'est ou à l'ouest de Greenwich.

En définissant l'heure sidérale locale pour un lieu fixe et pour une heure donnée, on peut s'assurer du degré de culmination de l'écliptique, soit par les tables des Maisons, soit par les tables d'ascension droite (heure sidérale et ascension droite étant synonymes). En se référant aux tables des Maisons pour obtenir la latitude de la naissance et l'heure sidérale locale appropriée, on trouvera le degré d'élévation (ascendant) et les autres facteurs qui se rapportent à la division des Maisons (position géographique).

Correction moyenne de l'heure sidérale

Un jour solaire moyen dure 24 h 3 min 56 sec en temps sidéral; par conséquent, le calcul de l'heure sidérale à partir de l'heure solaire moyenne doit se faire avec une correction de 9,86 sec par heure. Pour les besoins ordinaires, on peut considérer que c'est 10 sec par heure, mais s'il faut être précis, le premier chiffre doit être utilisé. Cette correction est souvent désignée par le terme "accélération sur l'intervalle", mais comme en toute chose, il faut viser la simplicité et il est plus facile et moins confondant de l'appeler correction moyenne de l'heure sidérale.

Une année tropicale de 365,2422 jours solaires moyens équivaut à 366,2422 jours sidéraux. En temps astronomique, une journée de 24 heures correspond à 23 h 56 min 4,09 sec sur l'horloge ordinaire ou en temps moyen. Le fait qu'une année tropicale correspond à 366,2422 jours sidéraux et à 365,2422 jours solaires moyens a pour résultat que l'horloge sidérale indique 1 h 0 min 9,8565 sec dans une heure de temps moyen. En d'autres mots, l'horloge sidérale gagne 9,8565 sec sidérales sur celle du temps moyen en une heure de temps moyen. Ce nombre de 9,8565 sec est l'accélération de l'horloge sidérale par heure de temps moyen. Par conséquent, n'importe quel intervalle de temps moyen demandera l'addition de 3 min 56,56 sec par 24 heures de temps moyen si on veut le convertir en son intervalle équivalent de temps sidéral, et, réciproquement, tout intervalle de temps sidéral doit être diminué de 3 min 55,91 sec par heure sidérale si on veut le convertir en intervalle équivalent de temps moyen.

Correction du temps moyen

Exemple no 1

Chercher la correction nécessaire pour convertir 5 h 10 min de temps moyen en temps sidéral.

SOLUTION

Selon les tables

		min	sec		min	sec
5 h	=	0	49,28			
10 min	=		1,64	=	0	50,92

Par le calcul

		min	sec
5,166 h × 9,86 sec/h	=		50,94
	=	0	51

Il n'est généralement pas nécessaire d'être aussi précis pour faire un thème natal parce que la différence entre l'heure moyenne et l'heure sidérale ne peut jamais dépasser 2 min en 12 heures et représente moins de 4 min en 24 heures.

Exemple no 2

Trouver la correction à apporter pour la conversion de 11 h 17 min de temps moyen en temps sidéral.

SOLUTION

D'après les tables

		min	sec		min	sec
11 h	=	1	48,42			
17 min	=		2,79	=	1	51

Par le calcul

		min	sec
11,283 h × 9,86 sec/h	=	1	51

Temps sidéral de Greenwich

Dans notre discussion sur le temps et la conversion du temps, nous avons noté que l'heure sidérale est, à un moment quelconque, l'angle horaire de l'équinoxe de printemps exprimé en temps et qu'elle est identique à l'ascension droite du méridien.

L'heure sidérale pour chaque jour de l'année à midi est enregistrée dans les éphémérides pour le méridien de Greenwich. Si nous nous référons aux *Raphael's Ephemeris* pour le 1er janvier 1980, nous voyons que l'heure sidérale était 18 h 41 min 13 sec. Ceci vaut pour midi ce jour-là, et si nous avons besoin de connaître l'heure sidérale à, disons, 15 h le même jour à Londres, nous ajoutons 3 h plus la correction du temps moyen en temps sidéral (9,86 sec par heure) pour avoir l'heure sidérale à 15 h. Dans ce cas, il serait 21 h 41 min 42 sec.

Pour un lieu situé sur un autre méridien que celui de Greenwich, l'heure sidérale serait autre, dépendant de la longitude du lieu, soit à l'est, soit à l'ouest de Greenwich. Nous avons vu qu'au 1er janvier les éphémérides nous donnaient 18 h 41 min 13 sec puisque le degré 0 du Bélier était sur le méridien de Londres, et que 5 h 19 min plus tard, il se trouvera de nouveau sur le méridien à l'heure sidérale de Greenwich.

L'avance moyenne de l'heure sidérale sur l'heure solaire moyenne est de 3 min 56 sec par jour, d'où la nécessité de corriger l'heure moyenne de 9,86 sec par heure. Même si l'heure sidérale, selon les éphémérides données pour midi, avance de 3 min 56 sec par jour, la Terre a tourné 24 heures plus 3 min 56 sec pendant que l'horloge n'indiquait que 24 heures.

Lorsque le lieu de naissance n'est pas sur le méridien de Greenwich, une correction supplémentaire s'impose pour obtenir l'heure sidérale locale de la naissance. Cette correction est appelée équivalent en temps de longitude et consiste à convertir la longitude du lieu de naissance en temps dans une proportion de 15° par heure (360 ÷ 15). Si la naissance a eu lieu à l'est de Greenwich, cette correction est ajoutée; si elle a eu lieu à l'ouest, elle est déduite. On obtient ainsi l'heure sidérale locale à la naissance.

Pour être absolument précis, une correction additionnelle de 9,86 sec par heure de longitude doit être ajoutée pour la longitude ouest et déduite pour la longitude est. De même que nous avons corrigé l'heure moyenne en heure sidérale, nous corrigerons les longitudes (intervalles de temps). Cependant, à moins que les données concernant la naissance ne soient très précises, cette correction peut être ignorée. Des tables de calcul ont été établies pour faciliter les conversions d'heure moyenne en heure sidérale et pour trouver les équivalences de longitude en temps.

Temps sidéral local à la naissance

L'heure sidérale donnée dans les éphémérides est valable pour midi, au méridien de Greenwich et pour tous les points de ce méridien quelles qu'en soient les latitudes. Si nous avons besoin de connaître l'heure sidérale à une heure autre que midi et en un lieu qui ne se trouve pas sur le méridien de Greenwich, il suffira d'un simple calcul pour la trouver. En une journée précise, selon l'époque de l'année, l'heure sidérale à midi sera entre 0 et 23 h 56 min, augmentant chaque jour d'un peu moins de 4 min. Comme l'heure sidérale est l'angle horaire de l'équinoxe de printemps exprimé en temps, la rotation constante de la sphère céleste augmente cet angle et, sur une période de 24 heures, le degré 0 du Bélier se retrouvera sur le méridien, et l'heure sidérale sera 0 heure.

Pour déterminer l'heure sidérale locale de la naissance, on prend l'heure sidérale à midi au jour de la naissance, on ajoute ou retranche l'intervalle de temps selon que l'heure de la naissance était avant ou après midi, on fait la correction nécessaire pour l'heure solaire moyenne et, s'il y a lieu, pour l'équivalent de longitude établi en temps. Le résultat est l'heure sidérale locale de la naissance qui nous permet d'établir le degré d'élévation et le signe, ainsi que les cuspides des Maisons à un endroit déterminé et à une heure donnée.

Comme nous l'avons déjà dit, l'heure sidérale est toujours locale; l'heure sidérale enregistrée dans les éphémérides est locale pour le méridien de Greenwich et tous les points de ce méridien. Les points situés hors de ce méridien ont des heures sidérales locales différentes selon leur longitude, à l'est ou à l'ouest de Greenwich.

Exemples:

Le 6 janvier 1980, 19 h 15 (H.G.), l'heure sidérale à Londres est:

	h	min	sec			h	min	sec
	19	00	56					
+	7	15	00	intervalle				
+		1	11	correction	=	2	17	07

À Munich (longitude 11° 33′ est):

	h	min	sec			h	min	sec
	19	00	56					
+	7	15	00					
+		1	11					
	2	17	07					
+		46	12	(équiv. de long. est)	=	3	03	19

À New York (longitude 73° 57′ ouest):

	19	00	56					
+	7	15	00					
+		1	11					
	2	17	07					
−	4	55	48	(équiv. de long. ouest)	=	21	21	19

Le degré d'élévation et le signe se trouvent dans les tables des Maisons correspondant à la latitude du lieu de naissance.

Exemple no 1

On vous demande de trouver l'heure sidérale locale pour une naissance qui a eu lieu à 17 h 15 (H.G.), le 1er janvier 1980 à Londres.

SOLUTION

		h	min	sec
Heure sidérale à midi le 1er janv.		18	41	13
Temps de naiss. (après midi)	+	5	15	00
Correction du temps moyen en temps sidéral (5,25 × 9,86)	+			52
Heure sidérale locale à Londres		23	57	05

D'après les tables des Maisons pour Londres, l'ascendant est à 26° du Cancer et le Milieu-du-Ciel (MC) est à 29° des Poissons (pour l'ascendant, on a arrondi au degré près).

Exemple no 2

On vous demande de trouver l'heure sidérale locale pour une naissance qui a eu lieu à 2 h 30 du matin (H.G.), le 2 janvier 1980 à Londres.

SOLUTION

		h	min	sec
Heure sidérale à midi le 2 janv.		18	45	10
Temps de naiss. (avant midi): 12 h moins 2 h 30	–	9	30	00
Voir les tables (intervalle de temps jusqu'à midi)		9	15	10
Correction (9,5 × 9,86)	–		1	34
Heure sidérale locale à Londres		9	13	36

D'après les tables des Maisons pour Londres, l'ascendant est à 4° (arrondi au degré près) du Scorpion et le MC est à 16° du Lion.

Exemple no 3

On vous demande de trouver l'heure sidérale locale pour une naissance qui a eu lieu à 17 h (heure normale de l'est) à New York le 1er janvier.

SOLUTION

	h	min	sec
Heure de naissance (H.N.E.)	5	00	00

		h	min	sec
Convertir en H.G. (ajouter 5 heures)	+	5	00	00
H.G. (après midi)		10	00	00
Heure sidérale à midi le 1er janvier		18	41	13
Heure de Greenwich (10 h après midi)	+	10	00	00
Correction de temps moyen en temps sidéral (10 × 9,86)	+		1	38
Heure sidérale à Greenwich *		28	42	51
Équivalent de long. (73° 57′) = 73,95 ÷ 15 = 4 h 55 min 48 sec				
Longitude ouest (déduire)	–	4	55	48
Heure sidérale locale à N.Y.		23	47	03

D'après les tables des Maisons pour New York: ascendant à 16° du Cancer, MC à 26° des Poissons.

* L'heure sidérale à Greenwich est 4 h 42 min 51 sec, mais pour simplifier la soustraction nous avons indiqué 28 h 42 min 51 sec.

Exemple no 4

On vous demande de trouver l'heure sidérale locale pour une naissance qui a eu lieu à 23 h 00 (heure normale de l'est) le 1er janvier 1980 à New York.

SOLUTION

		h	min	sec
Heure de naissance donnée		23	00	00
Convertir en H.G. (ajouter 5 h)	+	5	00	00
H.G. (noter le changement de date au 2 janvier) (avant midi)		4	00	00
Heure sidérale à midi le 2 janvier		18	45	10

Intervalle de temps jusqu'à midi 12 h moins 4 h	—	8	00	00
		10	45	10
Correction de temps moyen en temps sidéral (8 × 9,86)	—		1	19
		10	43	51
Équivalent de long. ouest (73° 57′) = 73,95 ÷ 15	—	4	55	48
Heure sidérale locale de N.Y.		5	48	03

D'après les tables des Maisons pour New York: ascendant à 27° de la Vierge, et MC à 27° des Gémeaux.

L'heure locale

Le terme d'heure locale s'applique généralement à celle utilisée en un lieu dit — le plus souvent, l'heure normale adoptée par certaines régions ou zones — tandis que le temps moyen local (ou temps solaire moyen) est celui défini par le méridien. L'heure moyenne solaire locale varie de 4 minutes pour chaque degré de longitude, mais l'heure normale correspond à un fuseau horaire donné et représente l'heure moyenne locale pour un méridien étalon.

Par exemple, New York utilise le méridien de 75°, qui a 5 heures de retard sur l'heure de Greenwich. Pourtant, New York ne se trouve pas exactement sur le 75e méridien, mais à 73° 57′ de Greenwich, de telle sorte que si cette longitude est exprimée en temps, elle est de 4 h 55 min 48 sec. Lorsqu'il est midi (H.G.) à Londres, il est 7 h du matin à New York (heure normale de l'est) mais l'heure locale (moyenne solaire) de New York est 12 h 00 — 4 h 55 min 48 sec = 7 h 4 min 12 sec du matin, heure locale (moyenne solaire). À moins d'être informé du contraire, on peut présumer que le terme "heure locale", lorsqu'elle est donnée pour le calcul d'un thème, est l'heure de l'horloge d'une localité spécifiée.

Édimbourg, à 3° 11′ de longitude ouest, utilise l'heure normale de la Grande-Bretagne — généralement H.G. — mais l'heure locale (moyenne solaire) de son méridien est de 12 min 44 sec en retard sur Greenwich, et bien que les horloges d'Édimbourg indiquent le temps moyen de Greenwich, son heure locale diffère de 12 min 44 sec. Quand il est midi (H.G.), il est 11 h 47 min 16 sec (heure locale).

Si nous calculions un thème pour Édimbourg à deux heures de l'après-midi, par exemple, et en supposant qu'il s'agit de l'heure d'été, ce serait en heure de Greenwich et les positions des planètes seraient calculées en fonction de cette heure. Toutefois, pour trouver l'ascendant et les cuspides des Maisons, nous retrancherions l'équivalent de longitude (12 min 44 sec) de l'heure sidérale de Greenwich à l'heure sidérale locale au moment de la naissance.

L'équivalent de longitude

Dans notre exposé sur l'heure sidérale locale de naissance, nous avons mentionné l'équivalent de longitude en temps, et comme il s'agit là d'un point important dans l'établissement d'un thème natal, nous donnerons des exemples de conversion.

Chaque point de la Terre peut être identifié par ses coordonnées de latitude et de longitude. La latitude est mesurée à partir de l'équateur de 0° à 90° nord ou sud, et la longitude à partir du méridien de Greenwich de 0° à 180° est ou ouest. Chaque degré de longitude équivaut à 4 minutes de temps (15° par heure); par conséquent, pour trouver l'équivalent de temps en un lieu quelconque, il suffit de convertir la longitude en temps en divisant les degrés et les minutes de longitude par 15. Si le lieu envisagé se trouve à l'est de Greenwich, on ajoute ce résultat à l'heure de Greenwich, ou, s'il est à l'ouest, on le retranche; on obtient l'heure locale moyenne du lieu. L'heure moyenne en un lieu quelconque (heure locale moyenne) est l'angle horaire du Soleil moyen mesuré au méridien de ce lieu. L'heure moyenne de Greenwich est l'heure locale moyenne du méridien de Greenwich. Sur tous les points à l'est, le Soleil moyen dépasse le méridien avant Greenwich et à l'ouest le passage arrive plus tard, d'où l'addition pour les longitudes est et la déduction pour les longitudes ouest.

Exemple no 1

On demande de trouver en mesure de temps l'équivalent de longitude en un lieu situé à 120° 45′ de longitude est.

SOLUTION

				h	min
120°45′	=	120,75 ÷ 15	= 8,05 =	8	3

S'il était midi à Greenwich, l'heure solaire moyenne locale à 120° 45′ de long. est était 12 h + 8 h 3 min, soit 20 h 3 min. Autrement dit, quand il est midi à Greenwich, il est 20 h 03 en temps solaire moyen. S'il s'agissait de longitude ouest, le temps solaire moyen serait 12 h 00 − 8 h 03, soit 3 h 57 (le matin).

Exemple no 2

On demande de trouver en mesure de temps l'équivalent de longitude en un lieu situé à 45° 30 de long. est.

SOLUTION

				h	min
45° 30′	=	45,5 ÷ 15	= 3,03 =	3	2

Si l'heure de Greenwich indiquait 10 h du matin, l'heure solaire moyenne locale à 45° 30′ est serait de 10 h 00 + 3 h 02 = 13 h 02.

Il est facile de trouver l'équivalent de longitude en mesure de temps, et les tables de conversions nécessaires sont incluses dans cet ouvrage.

Exemple no 3

Le 1er janvier 1980 à 96° 15′ de longitude ouest, il était 6 h 15 (H.G.). Trouver l'heure moyenne locale.

SOLUTION

		h	min
Heure de Greenwich le 1er janvier (le matin)		6	15
Longitude exprimée en mes. de temps 96° 15′ = 96,25 ÷ 15 = 6 h 25 min.			
Longitude ouest (déduire)	—	6	25
Heure moyenne locale		23	50

À noter: le changement de date
L'heure moyenne locale est 23 h 50 le 31 déc. 1979.

Exemple no 4

Le 1er janvier, il était 10 h 30 (H.G.) en un certain lieu, et 14 h 30 en heure moyenne locale. Trouver la longitude.

SOLUTION

				h	min
Heure moyenne locale le 1er jan.				14	30
H.G.			—	10	30
Différence en temps:		12 h 00			
	—	10 h 30			
		1 h 30			
	+	2 h 30	=	4	00

La longitude était de 60° est, parce que la différence de 4 heures s'ajoutait à l'heure de Greenwich (10 h 30 du matin).

Ligne de date internationale

La Terre fait un tour complet autour de son axe toutes les 24 heures, de telle manière que le Soleil passera par les méridiens des différents lieux à différents moments. Par une entente internationale, le méridien qui passe par Greenwich fut choisi comme méridien 0. Lorsqu'il est midi à Greenwich, il sera minuit à la longitude 180°. Mais à 195° de longitude est (c'est-à-dire 165° de long. ouest), il ne sera pas 1 heure passé minuit mais 23 heures en retard. C'est parce que la date doit changer quelque part sur la Terre, et l'on s'est mis d'accord pour que le méridien de longitude 180° est soit choisi à cet effet.

Ce méridien est connu sous le nom de ligne de date internationale et, en le traversant d'ouest en est, on perd un jour entier. De chaque côté de cette ligne la date est différente. À l'ouest, il est un jour plus tard et à l'est un jour plus tôt. La ligne de date internationale est tracée de telle sorte qu'elle fait un zigzag de part et d'autre du 180e méridien, évitant ainsi la pointe de l'Asie et certaines îles du Pacifique.

L'heure du fuseau

Avant l'adoption des zones de fuseaux horaires, il y avait beaucoup de confusion en ce qui concernait l'établissement de l'heure dans certaines localités. Certains endroits utilisaient l'heure solaire ou l'heure solaire vraie telle qu'indiquée par le cadran solaire; d'autres utilisaient l'heure moyenne telle qu'indiquée par la longitude. Avec l'expansion rapide des transports ferroviaires dans de grands pays comme le Canada et les États-Unis, le problème de l'heure prit une importance capitale. Les trains devaient parcourir de longues distances selon des horaires prévus, et il était essentiel d'adopter un système horaire normalisé. Lors d'un congrès en 1883, le General Railway Time Committee décida d'adopter le méridien de Greenwich comme point d'origine de l'heure mondiale et d'établir des fuseaux horaires à intervalles de 15° de longitude (une heure). Ce

	OUEST												GREENWICH MIDI	EST											
	EN RETARD SUR GREENWICH (MATIN)													EN AVANCE SUR GREENWICH (APRÈS-MIDI)											
Degrés de longitude	180	165	150	135	120	105	90	75	60	45	30	15	0	15	30	45	60	75	90	105	120	135	150	165	180
Nombre d'heures correspondantes	12	11	10	9	8	7	6	5	4	3	2	1	0	1	2	3	4	5	6	7	8	9	10	11	12
Heure légale	Mi-nuit	1	2	3	4	5	6	7	8	9	10	11	Midi	1	2	3	4	5	6	7	8	9	10	11	Mi-nuit

Figure 17(a). Heures légales

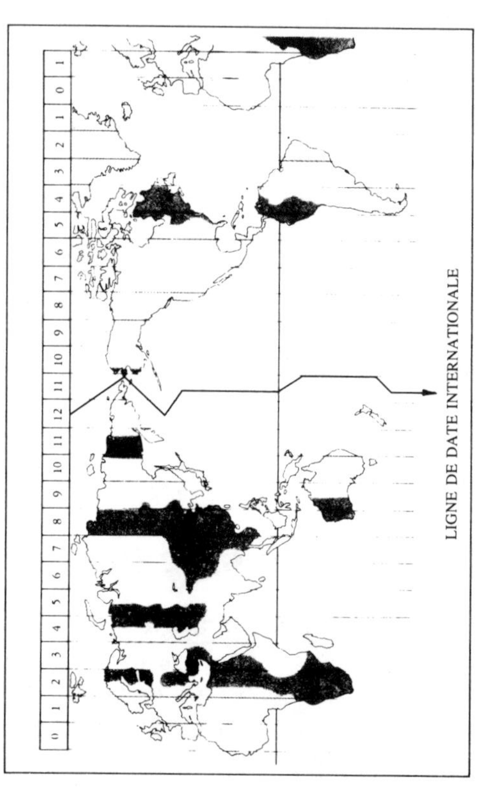

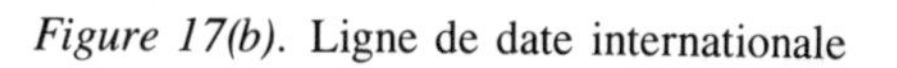
Figure 17(b). Ligne de date internationale

nouveau système fut introduit au Canada et aux États-Unis à midi le 18 novembre 1883.

Bien que les grands systèmes ferroviaires aient adopté l'heure du fuseau, ce ne fut dans certains cas que bien des années plus tard que le nouveau système horaire fut officiellement reconnu. En effet, au début, l'expression "heure du chemin de fer" se référait à l'heure officielle utilisée par les trains, laquelle pouvait parfois ne pas coïncider avec l'heure locale.

En Amérique du Nord, il existe plusieurs fuseaux horaires, de l'Atlantique (côte est) au Pacifique (côte ouest), et ces heures de fuseau établies à partir d'un méridien central sont de 3 à 8 heures en retard sur l'heure de Greenwich. De même, les localités à l'est de Greenwich ont l'heure du fuseau avancée de plusieurs heures selon la longitude adoptée comme méridien central. L'Europe centrale, par exemple, prend le méridien à 15° de longitude est comme point de repère et les horloges marquent une heure d'avance sur l'heure de Greenwich.

L'heure de fuseau est maintenant adoptée par le monde entier, mais il faut s'assurer avec soin de l'heure de fuseau d'une région parce que beaucoup de changements ont été apportés depuis son adoption. Beaucoup de pays ont aussi modifié ou révisé leurs zones horaires d'origine. Un ouvrage sérieux de référence devrait toujours être consulté pour la date et l'année en question, ou des recherches faites auprès de l'ambassade ou de ses représentants. L'heure de naissance est généralement l'heure légale en vigueur, mais elle est sujette à des variations à certaines époques de l'année à cause de l'introduction de l'heure avancée (heure d'été) que l'on lança pendant la Première Guerre mondiale. Pour arriver à l'heure de Greenwich de naissance, l'heure légale doit être ajoutée pour les longitudes ouest et retranchée pour les longitudes est; et si l'heure avancée était en vigueur, il faut la déduire de l'heure indiquée. L'heure, pour un astrologue, est de toute première importance et il est essentiel que les différentes sortes d'heures soient parfaitement comprises.

Heure avancée/Heure d'été/Heure de guerre

Ces expressions sont synonymes et s'appliquent à l'avance de l'horloge à certaines époques de l'année. L'avance est généralement d'une heure, mais il existe des variantes, en particulier en temps de guerre. Les horloges sont avancées au début du printemps et retardées à l'automne; mais certains pays gardent l'heure d'été à longueur d'année. Là encore un bon ouvrage de référence doit être consulté pour la date et l'année requises. L'heure de guerre était le terme utilisé aux États-Unis et en Amérique du Nord en général pendant les 1re et 2e Guerres mondiales; tous les fuseaux horaires furent avancés d'une heure du 2 février 1942 au 30 septembre 1945. Lorsque cette heure artificielle est en vigueur, l'avance doit être déduite de l'heure indiquée par l'horloge pour arriver à l'heure légale du pays ou de la région.

Temps universel

Cette expression est synonyme d'heure moyenne de Greenwich (H.G.) et est utilisée en notations scientifiques, données astronomiques, etc. Elle est calculée de 0 à 24 heures (par exemple, 21 h 00 = 9 h de l'après-midi).

L'heure des éphémérides

Jusqu'à la fin de 1959, les *Raphael's Ephemeris* étaient calculés à partir de l'heure moyenne de Greenwich. À partir de 1960, ils ont été calculés en heure des éphémérides.

C'est un système de valeur constante définie par rapport aux mouvements du Soleil, de la Lune et des planètes. L'heure de Greenwich est définie par la rotation de la Terre, et comme cette rotation n'est pas de vitesse constante, les systèmes de temps fondés sur elle ne sont pas constants non plus. À cause de l'irrégularité de la rotation de la Terre, elle ne fournit pas une base satisfaisante aux systèmes de temps astronomiques, ni pour les tables compilées à partir des théories de gravitation du Soleil, de la Lune et des planètes. Il est tenu compte dans les éphémérides du changement de la valeur du temps. À toutes fins utiles, il peut être ignoré à moins que l'on n'exige une précision absolue; dans ce cas, l'heure moyenne de Greenwich devrait être convertie en heure des éphémérides avant toute mesure des positions du Soleil ou de la Lune à partir des tables.

Exemple: Si l'on cherche la position de la Lune à 10 h 30 (H.G.) le 1er janvier 1980, il faudra la calculer pour 10 h 31 (51 sec arrondies à la minute près). Les heures des phénomènes données dans les éphémérides le sont en heures des éphémérides et, dans ce cas, 51 sec ou 1 min doivent être déduites pour avoir l'heure de Greenwich.

Heure d'été britannique

L'heure d'été britannique fut adoptée du 21 mai 1916 à 2 heures du matin (H.G.), jusqu'au 1er octobre 1916 à 3 heures du matin (heure d'été britannique) (soit 2 heures du matin, H.G.).

Le décret relatif à l'heure d'été fut présenté aux Communes britanniques les 8 et 9 mai et il devint loi le 17 mai pour être mis en application le 21 du même mois lors de la Première Guerre mondiale. La raison principale de son adoption était d'ordre économique. Ce décret stipulait que les horloges devaient être avancées d'une heure pendant les mois d'été. Cette heure artificielle a été utilisée chaque année depuis lors, mais l'avance et sa durée ont varié, en particulier pendant la Deuxième Guerre mondiale alors que la double heure d'été britannique fut instaurée (+ 2 heures).

On fit aussi une expérience avec l'heure légale britannique du 18 février 1968 au 31 octobre 1971, époque pendant laquelle toutes les horloges furent avancées d'une heure sur l'heure de Greenwich. En conséquence, toutes les heures d'horloge indiquées pendant cette période doivent être diminuées d'une heure pour retrouver l'heure de Greenwich. En 1972, l'heure d'été fut réintroduite — toutes les horloges sont avancées d'une heure de mars à octobre, et cela chaque année (voir tables des heures d'été).

Heure de Greenwich et heure légale

L'heure légale d'un pays est l'heure adoptée dans une zone ou une région et elle est donnée à partir d'un méridien central. En Amérique du Nord, les fuseaux horaires d'heure légale s'étendent de 3 à 8 heures, et comme la longitude est occidentale, ces heures légales sont en retard sur l'heure de Greenwich. De même, les localités qui se trouvent à l'est de Greenwich ont des heures légales qui sont en avance sur l'heure de Greenwich. Quand on utilise des éphémérides basées sur l'heure de Greenwich, comme celles de Raphaël, l'heure indiquée par l'horloge donnée doit être convertie en heure équivalente de Greenwich, puisque les données des éphémérides sont calculées en heure de Greenwich. En fait, les heures des éphémérides sont en temps des éphémérides, mais on peut, dans les cas courants, les considérer comme étant l'heure de Greenwich. Il faut avoir l'heure de Greenwich de naissance pour calculer les positions des planètes (longitude), tandis que l'heure sidérale locale sera utilisée pour déterminer l'ascendant, le Milieu-du-Ciel et les cuspides des Maisons. Ainsi donc, l'heure de Greenwich est pour les planètes et l'heure sidérale locale pour les Maisons.

Exemple no 1

On demande de trouver l'heure de naissance en temps moyen de Greenwich pour le 2 janvier 1980, à New York, à 10 h 30 du matin (H.N.E.).

SOLUTION

h	min	
10	30	= Heure de l'horloge (H.N.E.)
5	00	= Heure du fuseau (5 heures en retard)

Par conséquent, l'heure à New York est en retard sur celle de Greenwich, et l'on ajoute la différence, ce qui donne:

	10	30	
+	5	00	= 15 h 30 à Greenwich

Si les horloges de New York indiquaient midi, il serait 17 h à Greenwich. À minuit, heure de Londres (Greenwich), il serait:

	24	00	
–	5	00	= 19 h à New York

Exemple no 2

Trouver l'heure de Greenwich lorsqu'il est 19 h à San Francisco (Heure du Pacifique), le 2 janvier.

SOLUTION

h	min	
19	00	= Heure du Pacifique
8	00	= Heure du fuseau (8 h en retard)

L'heure de San Francisco est en retard sur celle de Greenwich, et l'on ajoute la différence ce qui donne:

	19	00		
+	8	00	= 27	= 3 h du matin le 3 janvier

Notez que, dans ce cas, la date a changé et l'heure de Greenwich est celle du matin du 3 janvier. Quand il est midi à San Francisco, il est 20 h le même jour à Londres (Greenwich).

Exemple no 3

Trouver l'heure de Greenwich quand il est 2 h du matin à Hong Kong, le 2 janvier.

SOLUTION

h	min	
2	00	= Heure de l'horloge au méridien de long. 120° est
8	00	= Heure du fuseau (8 heures en avance)

L'heure de Hong Kong est de 8 h en avance sur celle de Greenwich; il faut donc soustraire 8 h, soit:

	2	00	
–	8	00	= 18 h le 1er janvier

Exemple no 4

Quelle est l'heure locale à Sydney, Australie, quand il est 18 h à Greenwich, le 1er janvier?

SOLUTION

h	min	
18	00	= Heure de Greenwich
10	00	= Heure du méridien de long. 150° est

L'heure à Sydney est en avance de 10 heures sur celle de Greenwich; donc on additionne:

	h	min	
	18	00	
+	10	00	= 28
			− 24 = 4 h du matin le jour d'après, soit le 2 janvier

Exemple no 5

Trouver l'heure locale à Salt Lake City quand il est 1 h du matin à Greenwich, le 2 janvier.

SOLUTION

h	min	
1	00	= Heure de Greenwich
7	00	= Méridien ouest (105 ÷ 15)

L'heure de Salt Lake City est en retard de 7 heures sur celle de Greenwich; on déduit la différence, soit:

	h	min	
	1	00	
+	24	00	que l'on ajoute pour simplifier le calcul
	25	00	
−	7	00	= 18 h le jour précédent, soit le 1er janvier

Exemple no 6

Il est 17 h à Tokyo. Quelle heure est-il à Greenwich?

SOLUTION

h	min	
17	00	= Heure de Tokyo
9	00	= Heure du fuseau de long. est de 135° (135 ÷ 15)

L'heure de Tokyo est en avance de 9 h sur celle de Greenwich; on la retranche, ce qui donne:

	17	00	
−	9	00	= 8 h du matin à Greenwich, le même jour

Exemple no 7

Quelles sont l'heure et la date à Greenwich lorsqu'il est 3 h du matin à Tokyo le 2 janvier?

SOLUTION

h	min	
3	00	= Heure de Tokyo
9	00	= Heure du fuseau (long. est, déduire)

L'heure de l'horloge moins la différence de fuseau =

	3	00	
+	24	00	
	27	00	
−	9	00	= 18 h (H.G.), le 1er janvier

Exemple no 8

Il est 23 h 15 à Kingston en Jamaïque, le 1er janvier. Quelle est l'heure correspondante à Greenwich?

SOLUTION

h	min	
23	15	= Heure de Kingston
5	00	= Heure du fuseau 75° de long. ouest (75 ÷ 15)

Comme il s'agit de longitude ouest, la différence est ajoutée, ce qui donne:

	23	15	
+	5	00	
	28	15	= 4 h 15 du matin, le 2 janvier à Greenwich

Comment trouver l'heure et la date à Greenwich lorsque l'heure d'été est en vigueur

Exemple no 1

Date et lieu de naissance: 1 h du matin, le 23 mai 1916 à Londres.
L'heure d'été britannique était en vigueur depuis le 21 mai 1916 (voir les tables); il faut donc déduire une heure de l'heure donnée, d'où on obtient minuit le 22 mai (H.G.).

Exemple no 2

Date et lieu de naissance: 1 h du matin, le 23 mai 1941 à Londres.
La double heure d'été britannique était en vigueur en 1941 (du 4 mai au 10 août); il faut donc déduire 2 heures à l'heure donnée, d'où on obtient 23 h, le 22 mai 1941. Il faut noter le changement de date.

Exemple no 3

Date et lieu de naissance: 16 h, le 1er janvier 1970 à Londres.
L'heure d'été britannique était en vigueur du 18 fév. 1968 au 31 oct. 1971, et toutes les heures d'horloge données doivent être ajustées; 16 h − 1 h = 15 h, le 1er janvier 1970 (H.G.).

Exemple no 4

Date et lieu de naissance: 0 h le 1er janv. 1970 à Londres.
L'heure d'été était en vigueur; il faut déduire une heure. La réponse: 23 h, le 31 décembre 1969 (H.G.).

Pendant les deux Grandes Guerres mondiales, l'heure de guerre était en vigueur dans toute l'Amérique du Nord et chaque heure de fuseau avancée d'une heure. On trouvera tous les détails de ces changements dans les excellentes publications de Doris Chase Doane (voir Ouvrages de référence).

Exemple no 5

22 h 15, le 1er janvier 1943 à New York.
Pour trouver l'heure de Greenwich

	h	min		
	22	15	=	Heure de l'horloge = heure de guerre
–	1	00	=	Avance de l'heure de guerre
	21	15 (H.N.E.)	=	Heure du fuseau horaire de New York
+	5	00	=	Heure du fuseau de 75° long. ouest
	26	15	=	2 h 15 du matin, le 2 janvier 1943, heure et date de Greenwich

Lorsque l'heure de guerre ou l'heure d'été sont en vigueur, il faut déduire cette avance (généralement une heure) de l'heure indiquée par l'horloge pour obtenir l'heure exacte. Si ces conversions de temps ne sont pas bien faites, le thème accusera une erreur d'une heure et tous les calculs subséquents seront erronés.

Chapitre 6

LES ÉPHÉMÉRIDES

Les éphémérides sont des publications qui contiennent tous les renseignements astronomiques essentiels aux calculs des thèmes astrologiques. On peut se procurer différents types d'éphémérides, depuis celles publiées annuellement jusqu'à celles éditées en série et qui couvrent plusieurs années à venir. Les *Raphael's Ephemeris* sont renommées et très fiables; elles sont publiées annuellement. Depuis plus d'un siècle, ces éphémérides ont conservé une qualité remarquablement bonne et on la recommande pour les calculs astrologiques. Certains des renseignements astronomiques de ces éphémérides sont fondés sur les éphémérides astronomiques publiées par l'État.

Les éphémérides astrologiques sont indispensables pour calculer les thèmes et effectuer d'autres opérations astrologiques. On peut se procurer les *Raphael's Ephemeris* pour la période qui s'étend de 1860 à nos jours. Au cours des années, le format en a été légèrement modifié et des renseignements supplémentaires ont été ajoutés avec de petites variantes dans le registre des données. Avant 1934, on n'indiquait pas la position de Pluton, puisque cette planète n'a été découverte qu'en 1930. Pour les années qui ont précédé 1934, on trouvera les positions de Pluton dans la publication *The Influence of the Planet Pluto (L'Influence de la planète Pluton)*, d'Elbert Benjamine, éditée par Aries Press.

Les *Raphael's Ephemeris* correspondent à l'heure de midi, ce qui veut dire que les positions enregistrées, sauf avis contraire, sont celles correspondant à cette heure-là, le jour en question. Quelques éphémérides, comme *Die Deutsche*, sont calculées pour l'heure 0, c'est-à-dire au commencement du jour.

Jusqu'à la fin de 1959, les *Raphael's Ephemeris* furent calculées pour midi (H.G.) mais, depuis 1960, elle sont calculées en temps éphéméride (voir chapitre précédent). Comme la valeur du temps éphéméride varie chaque année, le temps moyen de Greenwich doit être augmenté de la valeur de l'heure éphéméride avant d'être utilisé. Cependant, à moins que l'heure de naissance ne soit absolument précise, la conversion de H.G. en heure éphéméride peut être ignorée et les données des éphémérides traitées comme si elles étaient en heure de Greenwich.

Les symboles

Au premier coup d'oeil, les éphémérides peuvent sembler être un amas de symboles et de chiffres presque incompréhensibles. Mais avec un peu d'expérience, la lecture des éphémérides se fait facilement. D'abord, les symboles en haut des pages mensuelles représentent le Soleil, la Lune et les planètes.

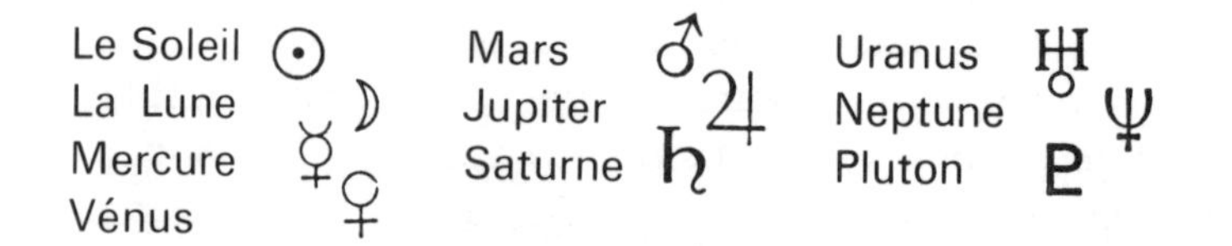

Aux pages 2 et 3 des éphémérides de janvier 1980, on voit les symboles planétaires, au-dessous desquels se trouve le mot "long." (l'abréviation de longitude) et, dans chaque colonne, les degrés et les minutes d'un signe particulier du zodiaque occupé par chaque planète à midi, à telle date. Les signes du zodiaque sont listés pour chaque premier jour du mois et de nouveau pour le dernier. Quand une planète change de signe, le symbole pour le signe est indiqué face au jour où le changement s'est produit. Quand on cherche la longitude de la planète à une autre heure que midi, il faut faire attention au signe occupé, et ne pas simplement prendre le signe indiqué en haut de la page au premier jour du mois.

Les signes du zodiaque sont:

le Bélier	♈	la Balance	♎
le Taureau	♉	le Scorpion	♏
les Gémeaux	♊	le Sagittaire	♐
le Cancer	♋	le Capricorne	♑
le Lion	♌	le Verseau	♒
la Vierge	♍	les Poissons	♓

Le symbole ℞ qui apparaît dans la colonne des positions planétaires (p. 3) * indique que la planète a régressé ce jour-là. L'explication du mouvement régressif est donnée à la page 56. "D" signifie directe: c'est que la planète passe d'un mouvement de régression à un mouvement de progression. La colonne à l'extrême droite (p. 3) montre les aspects lunaires (la position relative de la Lune à une date quelconque). Dans la deuxième moitié de la page, les interdépendances sont celles des planètes entre elles à la date cherchée. Les symboles représentés dans la colonne des aspects lunaires et mutuels (ou d'interdépendance) se réfèrent aux types d'aspects formés; les différents aspects sont les distances en degrés des planètes et de la Lune entre elles. Les aspects et leur signification seront étudiés à la page 175, mais le tableau suivant montre les aspects utilisés en astrologie. Dans l'interprétation des thèmes, une attention considérable est donnée à ces aspects, car ce sont des facteurs très importants.

* L'auteur fait ici référence aux *Raphael's Ephemeris*, dont on trouvera des extraits à la fin du présent ouvrage. (N.D.L.R.)

Types d'aspects

Bien que beaucoup d'aspects soient dits "mineurs", la recherche astronomique tend à confirmer que certains de ces aspects mineurs sont de grande valeur et d'une importance beaucoup plus considérable qu'on ne le supposait.

Type	*Symbole*	*Dist. en degré*	*Classement*
Conjonction	☌	0	Majeur
Occultation	●	0	"
Semi-sextile	⚺	30	Mineur
Semi-quintile	⊥	36	"
Semi-carré	∠	45	Majeur
Sextile	✱	60	"
Quintile	Q	72	Mineur
Carré	□	90	Majeur
Trigone	△	120	"
Sesqui-carré	⚼	135	Mineur
Bi-quintile	±	144	"
Quinconce	⚻	150	"
Opposition	☍	180	Majeur
P (parallèle en déclinaison)	—	0	Variable

Les positions planétaires

Le Soleil

Les positions des planètes telles qu'indiquées dans les éphémérides sont données en longitudes célestes (mesurées le long de l'écliptique vers l'est à partir du degré 0 du Bélier) et, sauf si l'on exige une précision absolue, peuvent être confondues avec celles de midi (H.G.). À la page 2, au 1er janvier 1980, la longitude du Soleil est à 10° 13′ 25″ dans le Capricorne. Quand on calcule la position d'une planète à une autre heure que midi, les secondes peuvent être ignorées, et dans ce cas on prendra la longitude 10° 13′. Cette façon de procéder s'applique aux heures de naissance ou des événements qui ne sont pas données avec exactitude; si elles sont très précises, les calculs doivent l'être aussi.

Les schémas pour les retours du Soleil, dont nous parlerons plus loin, exigent que l'on calcule la position du Soleil à la seconde près. En prenant la position du Soleil dans les éphémérides, on doit noter le signe dans lequel il se trouve, parce qu'il en change chaque mois autour du 21 ou du 22. Le 1er janvier, le Soleil est en Capricorne, mais le 21 il est à 0° 36′ 4″ du Verseau. Quelque part entre le 20 et le 21 janvier, il est entré dans le Verseau; l'heure exacte de son entrée se trouve dans les tables des éphémérides à la page 39. Dans le cas qui nous occupe, il est en Verseau à 21 h 50 (heure des éphémérides que nous prenons comme H.G.). Si nous voulions vérifier cette heure, nous pourrions le faire par les calculs suivants:

Position du soleil à midi le 21 janv.	=	0°	36′	4″	en Verseau
Position du Soleil à midi le 20 janv.	=	29°	34′	59″	en Capricorne
Déplacement en 24 heures	=	1°	1′	5″	

9,50 = 0,4097 jour × 1,018°
= 0,417 = 25′ 1″ qui, ajouté à la position à midi le 20 janvier, donne:

	29°	34′	59″	en Capricorne
+		25′	1″	
=	0	0	0	en Verseau

À côté de la colonne des longitudes du Soleil se trouve la colonne des déclinaisons qui indique la distance du Soleil au-dessus ou au-dessous de l'équateur. Elle se mesure en degrés et minutes nord ou sud de l'équateur. La position de la Terre par rapport au Soleil détermine la déclinaison du Soleil. Dans les éphémérides, nous voyons que la déclinaison du Soleil au 1er janvier est 23° 3′ sud, ce qui veut dire que le Soleil est à 23° 3′ au sud de l'équateur. À la fin du mois, il est à 17° 32′; la distance est moindre et continuera de décroître jusqu'au 20 mars, quand sa déclinaison sera à 0° et passera du sud au nord de l'équateur à l'équinoxe de printemps. Sa déclinaison deviendra nord et augmentera jusqu'à atteindre son maximum de 23° 26′ nord au solstice de juin, soit aux environs du 21 de ce mois.

La Lune

Alors que le mouvement du Soleil est en moyenne de 1° par jour, celui de la Lune est d'environ 13°, et elle se déplace rapidement au travers des douze signes du zodiaque en 27 jours et demi environ. En moyenne, elle passe d'un signe à l'autre tous les deux jours et demi. Quand la Lune change de signe, le signe est indiqué dans les éphémérides mais seulement si le changement a eu lieu avant midi. Comme pour le Soleil, l'heure exacte d'entrée dans le signe est indiquée à la page 39. En calculant la position de la Lune à une heure donnée, on note le déplacement de midi à midi, de midi à minuit ou de minuit à midi, selon l'heure pour laquelle on fait le thème. La longitude de la Lune peut être calculée en degrés et en minutes, en ignorant les secondes.

La façon la plus facile d'obtenir les déplacements journaliers des planètes est de se référer aux pages 26 et 27 des éphémérides, qui donnent les déplacements du Soleil, de la Lune et des planètes les plus mobiles. Celles qui se meuvent lentement ne sont pas indiquées, mais un simple calcul de rapport donnera leur longitude à une heure donnée. La colonne se rapportant aux latitudes de la Lune (voir p. 2) indique la position de la Lune en latitude céleste, qui est la mesure en degrés et en minutes de l'arc au nord ou au sud de l'écliptique. Le Soleil n'a pas de latitude puisqu'il est toujours sur l'écliptique qui est son parcours apparent. L'orbite de la Lune est inclinée par rapport au plan de l'écliptique de 5° 8′ en moyenne (voir les chapitres sur l'astronomie). Les éphémérides indiquent la latitude de la Lune chaque jour, et cela montre de combien son orbite est inclinée par rapport à l'écliptique. Dans les thèmes astrologiques, on n'utilise pas la latitude.

La déclinaison de la Lune, indiquée dans les éphémérides à midi et à minuit, augmente ou décroît au nord ou au sud chaque mois. Le 1er janvier, la déclinaison de la Lune est de 18° 59′ nord, et elle atteint sa déclinaison maximum (19° 9′nord) le 2 janvier. Après quoi elle décroit jusqu'au 9 janvier (0°), alors qu'elle est à l'équateur. À partir du 9, elle croît pour atteindre son maximum de déclinaison sud le 16 janvier.

La déclinaison maximum de la Lune varie de mois en mois et d'année en année. En 19 ans, elle passe de 28° et demi à 18° environ; ce phénomène est appelé régression des noeuds; c'est un mouvement rétrograde le long de l'écliptique. Le noeud ascendant se trouve là où la Lune traverse l'écliptique du sud au nord, et le noeud descendant lorsqu'elle la traverse du nord au sud. En astronomie, la droite qui passe par ces deux points s'appelle la ligne nodale; c'est l'intersection des plans de l'orbite terrestre et de l'orbite lunaire.

Les planètes

La longitude de chaque planète, de Mercure à Pluton, est indiquée à la page 3 des éphémérides et, comme pour la Lune et le Soleil, les déplacements journaliers des planètes les plus rapides se trouvent aux pages 26 et 27. Les planètes plus lentes ne sont pas listées mais, à cause de leur mouvement relativement lent, leurs positions peuvent être facilement calculées. Dans la moitié inférieure des pages 2 et 3, on donne la latitude et la déclinaison de toutes les planètes, tous les deux jours pour les plus lentes, et tous les jours pour les plus rapides.

Les aspects lunaires

La table de la page 3 donne tous les aspects (distance angulaire entre la Lune et une planète mesurée en longitude céleste). Les aspects indiqués dans cette table sont exacts pour le jour considéré, mais les astrologues accordent certains écarts de tant de degrés en plus ou en moins pour être précis. Par exemple, si deux planètes (et cela comprend la Lune et le Soleil) étaient à 112° ou à 128° l'une de l'autre (c.à.d. + ou — 8°) on considérerait qu'il s'agit d'un aspect trigone (120°). Mais dans la table, l'aspect n'est indiqué que pour le jour où il est exact.

Les interdépendances

Cette table (coin inférieur droit, p. 3) indique tous les aspects entre les planètes, sauf la Lune. Là encore, il s'agit d'une table utile que l'on consultera pour vérifier le thème une fois calculé. Dans cette table, si une planète a plus d'un aspect un jour donné, le symbole de la planète n'est pas répété, mais chaque aspect est suivi d'une virgule; par exemple, le 15 janvier, le Soleil est en sesqui-carré avec Jupiter et en sextile avec Uranus.

Les lunaisons

Les phases de la Lune — nouvelle Lune, premier quartier, pleine Lune et dernier quartier — sont indiquées en haut et en bas de chaque page. L'heure y est donnée, ainsi que le signe du zodiaque et la longitude, en degrés et en minutes. Les lunaisons sont importantes en astrologie cosmique et ces renseignements sont précieux pour le calcul des thèmes pour cette branche de l'astrologie.

L'ensemble des aspects

De la page 30 à la page 37 des éphémérides, on trouve un chapitre réservé à tous les aspects entre le Soleil, la Lune et les planètes au cours de l'année. Cette table donne la date, l'heure et l'aspect formé. Les lettres B, M, b, m, etc., indiquent la nature de l'aspect et reposent sur la signification traditionnelle donnée aux différents aspects. B par exemple veut dire "bon", M veut dire "mauvais", b "assez bon", m "assez mauvais".

L'astrologie moderne n'accepte pas volontiers les significations traditionnelles et anciennes associées aux aspects, et les appellations bonnes ou mauvaises ne doivent pas être prises trop au sérieux. Sans aucun doute, certains aspects sont associés à des situations ou à des conditions difficiles ou énervantes, tandis que d'autres le sont à des formes d'expression faciles et favorables. L'aspect carré (90°) et l'opposition (180°) sont significatifs de tension et d'obstacles à franchir. Mais là encore, cela dépend des planètes concernées. Une rencontre Mars/Saturne produit plus de tension qu'un carré ou une opposition Lune/Vénus. Toutefois, cette table est très utile, en particulier lorsqu'il faut indiquer des progressions. Les progressions, que nous n'étudierons pas ici, concernent la progression du thème tant de jours après la naissance en fonction de l'âge de la personne et selon les tendances vraisemblables qui se manifestent d'après la configuration entre le thème natal et les positions en progrès.

Autres contacts que conjonction et opposition

Cette table (pp. 38-39) indique toutes les conjonctions et oppositions qui se produisent au cours de l'année. Elle donne la date, l'heure et — dans la 4e colonne — la distance qui sépare deux planètes en degrés et en minutes de déclinaison. Les heures données sont pour le méridien de Greenwich; pour les autres méridiens et où l'heure de Greenwich n'est pas utilisée, il faut faire une conversion à l'heure du pays concerné. L'heure moyenne solaire de l'aspect peut être calculée en prenant l'équivalent de longitude (longitude terrestre divisée par 15) et en ajoutant ou retranchant l'équivalent selon que le point se trouve à l'est ou à l'ouest de Greenwich. La déclinaison est la mesure nord ou sud de l'équateur céleste, et lorsque deux planètes sont à l'intérieur d'une orbite de même degré à 1° et demi près, que ce soit d'un côté ou de l'autre de l'équateur, on dit qu'elles sont en parallèle de déclinaison.

Le 21 janvier, la Lune est en opposition avec Saturne et la déclinaison qui les sépare est de 8', d'où la faible distance entre les deux astres. Par contre, le 10 janvier, la Lune est en conjonction avec Pluton et la déclinaison les séparant est de 12° 7'. Plus le contact est proche, plus l'aspect est fort. Dans la table, certaines conjonctions sont rayées d'un gros trait noir, ce qui indique une occultation causée par la Lune qui se trouve au même degré de longitude et de déclinaison qu'une planète. Et la Lune, pendant un court moment, éclipsera ou cachera cette planète.

Déplacements journaliers des planètes

Comme les éphémérides sont calculées pour midi, il faut calculer les longitudes planétaires pour les heures de naissance autres que midi. La table des déplacements journaliers (pp. 26-28) montre la distance parcourue d'un midi à l'autre. La distance, mesurée en longitude céleste le long de l'écliptique, est variable, et la table montre cette variation pour chaque journée. Par exemple, le 1er janvier, le déplacement de la Lune est de 12° 58′ 11″, et le 2 janvier de 12° 42′ 30″. Si nous voulons trouver la longitude de la Lune le 1er janvier à 19 h 30, nous effectuerons les calculs suivants:

12,969 (12° 58′ 11″) × 7,5 (7 h 30′) divisé par 24
= 4,053 = 4° 3′ 11″
ce qui, ajouté à la position à midi le 1er janvier, donne:
= 29° 43′ 43″ en Gémeaux
\+ 4° 3′ 11″

3° 46′ 54″ en Cancer (position de la Lune à 19 h 30)

Si nous prenons le déplacement de midi à minuit (12 heures) le 1er janvier et calculons la position à 19 h 30, nous trouvons une légère différence de position, comparée à celle calculée sur 24 heures. Le déplacement en 24 heures est le déplacement moyen; comme la Lune est sujette à accélération et à retardation, son mouvement n'est pas constant, d'où la différence quand on la compare en 24 heures et en 12 heures. Mieux vaut utiliser le mouvement sur 12 heures quand on calcule la position de la Lune.

Le déplacement journalier enregistré dans les tables est pour le Soleil, la Lune et les planètes et indique les mouvements de midi à midi. Par conséquent, pour une naissance avant midi, le déplacement considéré ira de midi le jour précédent à midi le jour de naissance; par exemple, pour une naissance à 8 h du matin le 5 janvier: le déplacement de la Lune le 4 janvier est de 12° 46′ 6″ et l'intervalle de temps jusqu'à midi est de 4 heures. Le déplacement de la Lune en 4 heures doit être déduit de la position à midi (le 5 janvier) et cela donne la position à 8 h du matin. On peut également déterminer la position à minuit le 4 et ajouter le déplacement pendant 8 heures pour avoir la longitude de la Lune à l'heure donnée.

Dans cette table des déplacements journaliers, le nombre de degrés et/ou minutes parcourus par une planète sont indiqués entre midi et midi. À cause de leur mouvement rétrograde, les planètes ont l'air de reculer — en fait, elles ralentissent, sont stationnaires, puis rétrogradent. Il y aura par conséquent certains moments où la longitude d'une planète peut être déterminée sans avoir recours au calcul. Un de ces cas s'est produit en mars 1980. Au début du mois, la planète en question avance lentement, soit de 10′ le 1er janvier, puis elle ralentit graduellement jusqu'au 15 janvier, où son mouvement apparent est alors nul. Elle reste stationnaire toute la journée du 16, puis elle se met à régresser; à la fin du mois, sa longitude est de 13° 50′ dans la Vierge.

En calculant la longitude de régression des planètes à un autre moment qu'à midi, le déplacement pendant l'intervalle doit être ajouté à la position pour une naissance avant midi et retranché pour une naissance l'après-midi. En d'autres termes, le processus est à l'inverse de celui d'une planète qui se déplace normalement.

Les calculs pour déterminer la déclinaison d'une planète sont identiques à ceux que l'on fait pour déterminer sa longitude. La déclinaison de la Lune change assez rapidement et lorsque la Lune passe par l'équateur elle se déplace rapidement et couvre la plus grande distance de déclinaison. Comme la déclinaison est mesurée au nord ou au sud de l'équateur, la déclinaison de la Lune à l'équateur est de 0°. Chaque mois, la Lune traverse l'équateur et, en conséquence, passe du nord au sud jusqu'à sa déclinaison maximum (au plus grand angle nord ou sud). Les heures de déclinaison maximum ainsi que les moments où la Lune est à l'équateur sont donnés dans la table au chapitre "Phénomènes" (p. 29).

Quand on calcule la déclinaison, et en particulier quand la Lune va du nord au sud (ou inversement) il faut faire attention au fait qu'elle décroît en se rapprochant de l'équateur et qu'elle croît en s'en éloignant vers le nord ou vers le sud. Par exemple, le 22 janvier, à midi, la déclinaison de la Lune est de 1° 3′ sud (décroissante) et le 23 janvier de 3° 36′ nord (croissante). Ainsi donc, son mouvement en 24 heures est égal à 1° 3′ + 3° 36′ = 4° 39′. S'il nous faut connaître la déclinaison à, disons, 23 h 30, le 22 janvier, on fera le calcul suivant:

4,65 (4° 39′) × 11,5 (11 h 30) ÷ 24

= 2° 14′ à partir de sa position à midi

D'où: décroissement de	1° 3′ sud
accroissement de	1° 11′ nord
=	2° 14′

La déclinaison de la Lune à 23 h 30 est donc de 1° 11′ nord. En la calculant de midi à minuit le 22 janvier, on aurait:

1° 3′ sud (midi)
1° 18′ nord (minuit)

2° 21′ = déplacement en 12 heures

2,35 (2° 21′) × 11,5 (11 h 30) ÷ 12 =

décroissement de	1° 3′ sud
accroissement de	1° 12′ nord

ce qui donne la déclinaison de la lune à 23 h 30 avec une différence de 1′ avec celle trouvée en utilisant le déplacement en 24 heures.

Les phénomènes

Cette section des éphémérides comprend les dates et les heures des phénomènes astronomiques importants. Bien que ces renseignements ne soient pas nécessaires pour faire un thème natal, c'est une source d'information utile quand on veut trouver les heures et les dates astronomiques utilisées dans des programmes de recherche astronomique.

Dans la Table des phénomènes (p. 29) au 2 janvier 1980, on trouve: *2, 2.00 a.m. Moon Max. Dec. 19° 9′ N.* Ceci veut dire que le 2 janvier, la Lune a atteint à 2 heures du matin sa déclinaison maximum de 19° 9′ au nord de l'équateur. On se souvient que la déclinaison est la distance angulaire ou la mesure nord ou sud de la distance angulaire ou la mesure nord ou sud de la distance de l'équateur céleste et que chaque mois la Lune traverse l'équateur en direction nord-sud ou vice-versa. Le 2 janvier, par conséquent, elle avait atteint sa déclinaison maximum nord, après quoi, en déclinaison décroissante, elle avait traversé l'équateur le 9 janvier à 11 h 26 du matin (d'après les tables). Le 16 janvier, en déclinaison sud croissante, elle atteignit son maximum sud à 12 h 55. Après quoi, sa déclinaison décrût et, le 22 janvier, la Lune se trouvait de nouveau à l'équateur pour passer en déclinaison nord.

Périhélie et aphélie

Ces termes se rapportent aux positions les plus proches (périhélies) et les plus lointaines (aphélies) du Soleil par rapport à l'orbite d'une planète. Dans le cas de la Terre, la périhélie se produit le 3 janvier à 14 h 40 de l'après-midi, tandis que l'aphélie se produit six mois plus tard à 17 h 17, le 5 juillet. Comme l'orbite de la Terre est elliptique, la distance de la Terre au Soleil varie chaque jour. En janvier, chaque année, la Terre se trouve au plus proche du Soleil: c'est la périhélie. En juillet, chaque année, elle est au point le plus éloigné du Soleil: c'est l'aphélie. Périodiquement, les planètes sont en périhélie et en aphélie, et les dates auxquelles ces phénomènes se produisent se trouvent dans la Table des phénomènes. Le 6 janvier, Mercure est en périhélie. Pour Mercure, il s'écoule 88 jours entre deux aphélies successives et deux périhélies successives. Le 3 avril, elle est de nouveau en aphélie, ce qui fait 88 jours depuis le 6 janvier.

Périgée et apogée

Alors que la Lune décrit une orbite apparente autour de la Terre, la distance de la Terre à la Lune varie chaque jour. Le point de son orbite le plus proche de la Terre s'appelle son périgée et le plus éloigné son apogée. Le 8 janvier à 8 h 07, la Lune est à son apogée et le 20 janvier à 1 h 54, elle est à son périgée.

Les conjonctions inférieures et supérieures

Il s'agit des conjonctions qui se produisent lorsqu'une planète se trouve en alignement avec le Soleil et la Terre. Une conjonction supérieure est celle où la planète, en alignement avec le Soleil et la Terre, se trouve en deçà du Soleil. Une conjonction inférieure est celle où la planète, en alignement avec le Soleil et la Terre, se trouve près du Soleil (entre le Soleil et la Terre). Les conjonctions inférieures ne peuvent se produire qu'avec Mercure et Vénus (les planètes inférieures) dont les orbites sont plus proches du Soleil que celle de la Terre.

Les noeuds des planètes

Le noeud d'une planète est le point de rencontre nord ou sud de son orbite autour du Soleil et de l'écliptique. La latitude céleste est mesurée nord ou sud par rapport à l'écliptique, et lorsque la planète est en noeud, sa latitude est de 0°, puisque sur l'écliptique. Le 14 février 1980 à 15 h 42, Mercure est en noeud ascendant, c'est-à-dire qu'elle passe de la latitude sud à la latitude nord. On peut vérifier les données de la table des phénomènes comme suit:

À la page 4 des éphémérides pour les 13 et 15 février, nous trouvons les latitudes de Mercure: 0° 14′ sud (le 13) et 0° 11′ nord (le 15). Ceci nous indique que Mercure était à la latitude 0 entre ces deux dates. Par conséquent, 0° 14′ + 0° 11′ = 25′ de déplacement en 48 heures. Pour que Mercure soit sur l'écliptique (latitude 0), cela montre un décroissement de 14′, de 0° 14′ à 0°. L'heure donnée dans la table est 15 h 42 soit 27 h 42 min après midi le 13.

Donc, si 48 h = 25′
27 h 42 =

$$\frac{0{,}416\ (25') \times 27{,}7\ (27\ \text{h}\ 42)}{48}$$

= 14′

qui, déduites de la position à midi le 13, donnent 0° 0′. Mercure est donc sur l'écliptique. Le noeud ascendant (nord) est représenté dans les éphémérides par le signe (☊) et le noeud descendant (sud) par le signe (☋). Le temps écoulé entre deux noeuds consécutifs ascendants ou descendants est égal à la période sidérale de la planète.

La plus grande élongation est et ouest

L'élongation est l'angle entre le Soleil et un corps céleste observés de la Terre. La plus grande élongation que les planètes inférieures (Mercure et Vénus) peuvent atteindre est de 28° pour Mercure et 48° pour Vénus. Toutes les autres planètes peuvent atteindre une élongation maximum de 180°. Lorsqu'une planète se trouve à l'est du Soleil, son élongation est orientale, et comme elle se couche après le Soleil, on l'appelle "étoile du soir"; tandis qu'une planète qui se trouve à l'ouest du Soleil se lève avant lui, son élongation est occidentale et l'on dit que c'est une "étoile du matin". L'élongation maximum orientale suit toujours la conjonction supérieure de la planète, tandis que l'élongation maximum occidentale suit toujours la conjonction inférieure de la planète.

Entrées du Soleil, de la Lune et des planètes dans les signes du zodiaque

Cette table indique l'heure et la date auxquelles le Soleil, la Lune et les planètes entrent dans les signes du zodiaque. Le Soleil change de signe chaque mois et la Lune, en moyenne, tous les deux jours et demi. Cette table est utile pour vérifier les calculs concernant les planètes sur le point de quitter un signe pour entrer dans un autre. Nous pouvons, par exemple, envisager une naissance à 7 h 30 du matin, le 6 janvier. La Lune se trouverait dans la dernière partie du Lion, et, d'après les tables, entrerait dans le signe de la Vierge à 7 h 50 du matin (heure des éphémérides), que nous considérerons comme étant l'heure de Greenwich. Les calculs donneront ce qui suit:

à minuit le 5	=	26° 5′ 44″ en Lion
à midi le 6	=	2° 4′ 50″ dans la Vierge
déplacement en 12 heures	=	5° 59′ 6″
soit en décimales	=	$\frac{5{,}985 \times 7{,}5}{12}$ (temps à partir de minuit)
	=	3° 44′ 26″

ce qui, ajouté à la position à minuit

$$\begin{array}{lrrr} & 26° & 5' & 44'' \\ + & 3° & 44' & 26'' \end{array} = 29°\ 50'\ 10'' \text{ en Lion}$$

qui est la position de la Lune à 7 h 30 du matin.

À 7 h 50, elle entre dans la Vierge:

$$\frac{5{,}985 \times 7{,}833}{12} = 3{,}907$$

= 3° 54′ 25″ ajouté à la position à minuit = (à la seconde près) 0° 0′ 0″ dans la Vierge.

S'il nous faut vérifier l'entrée de Mercure en Poissons (ce qui se produit, selon les tables, à 8 h 08 le 7 février), nous procéderons comme suit:

Déplacement de Mercure en 24 heures (de midi le 6 à midi le 7) = 1° 45′
Position à midi le 6 = 28° 32′ du Verseau et la distance à parcourir = 1° 28′ (0,0 des Poissons moins 28,32 du Verseau).
Par conséquent:

$$\frac{1,28 \times 24}{1,45} = 20,7 = 8 \text{ h } 07,$$

ce qui est suffisamment proche pour considérer que c'est exact.

Les entrées du Soleil dans les signes cardinaux (Bélier, Cancer, Balance et Capricorne) s'appellent ingressions solaires; elles sont importantes en astrologie cosmique, et les heures et les dates de ces ingressions sont fournies dans les tables. Ces tables sont extrêmement pratiques parce qu'elles évitent les pertes de temps et d'énergie à calculer l'heure des entrées.

L'heure locale moyenne du lever et du coucher du Soleil

Cette table est utile pour trouver les heures du lever et du coucher du Soleil à différentes latitudes. Toutes les latitudes ne sont pas données dans la table, mais une simple formule suffit pour trouver les heures dont on a besoin.

L'heure locale d'un phénomène

Les *Raphael's Ephemeris* enregistrent les données astronomiques en heure des éphémérides, et si l'heure d'un événement astronomique est nécessaire pour un lieu éloigné, il faut faire une conversion en heure de cette localité. Par exemple, la nouvelle Lune tombe le 17 janvier à 21 h 19, heure des éphémérides. À l'heure de Greenwich, à la minute près, il est 21 h 18 (en arrondissant). Si nous voulons savoir quand cette nouvelle Lune apparaîtra à l'heure locale de New York, il faudra procéder comme suit:

Prendre la longitude entre Londres et New York, soit 74° ouest, et la convertir en mesure de temps (15° par heure). Cela donne $\frac{74}{15}$ = 4 h 56 d'écart avec l'heure de Greenwich (21 h 18) soit 16 h 22, heure locale. Mais New York est à l'heure de l'est, qui a 5 heures de retard sur celle de Greenwich, de telle sorte que la nouvelle Lune se produira à 21 h 18 – 5 h = 16 h 18 H.N.E., et à 16 h 22 heure moyenne locale. Cette différence d'heure entre Londres et New York (4 h 56) est appelée équivalent de longitude en mesure de temps. Dans le chapitre sur la conversion de l'heure, on a donné beaucoup d'exemples pour illustrer cette conversion.

Tables des Maisons

Dans les *Raphael's Ephemeris* se trouvent les tables des Maisons pour les trois grandes villes de Londres, Liverpool et New York, dans lesquelles sont établies les latitudes de 39° à 55° nord qui peuvent être utilisées pour calculer les thèmes des latitudes sud, comme on l'a expliqué dans le chapitre des calculs de latitudes sud. On peut aussi se procurer séparément les tables des Maisons pour la Grande-Bretagne et les tables des Maisons pour les latitudes septentrionales. Ces tables couvrent pratiquement toutes les latitudes entre 2° et 59° et sont indispensables pour faire les thèmes correspondant à ces latitudes.

Une table des Maisons est un tableau qui a été préparé pour une latitude spécifique afin que l'ascendant et la culmination puissent être calculés pour une certaine heure en un lieu déterminé. Il y a différents systèmes de division des Maisons qui nécessitent différentes sortes de tables, surtout à cause des désaccords qui existent dans la localisation des cuspides intermédiaires. Les tables qui se trouvent dans les éphémérides sont établies selon le système de Placide (voir le chapitre sur la division des Maisons) et ce sont ces tables-là qui sont utilisées dans cet ouvrage pour expliquer les calculs de thèmes.

À première vue, les tables ressemblent à un grand amas de symboles et de chiffres, mais elles sont en fait très faciles à utiliser. Si l'on se reporte aux tables de Londres, on les voit disposées ainsi:

Heure sidérale h min sec	10 Bélier ♈	11 Taureau ♉	12 Gémeaux ♊	Ascend. Cancer ♋	2 Lion ♌	3 Vierge ♍
0 0 0	0	9	22	26 36	12	3

Pour faciliter l'explication, nous numéroterons ces sept colonnes

(1) (2) (3) (4) (5) (6) (7)

Colonne (1) L'heure sidérale est l'heure sidérale *locale* au moment de la naissance.

(2) C'est la 10e cuspide ou Milieu-du-Ciel; le signe et le degré indiqués sont ceux qui culminent à cette heure sidérale spécifique (à 0° du Bélier).

(3) C'est la cuspide de la 11e Maison (à 9° du Taureau).

(4) C'est la cuspide de la 12e Maison (à 22° des Gémeaux).

(5) C'est l'ascendant, le signe et le degré qui ascendent à Londres à cette heure sidérale spécifique (à 26° 36′ du Cancer).

(6) C'est la cuspide de la 2e Maison (à 12° du Lion).

(7) C'est la cuspide de la 3e Maison (à 3° de la Vierge).

Nous avons noté le signe et le degré pour les six Maisons à l'heure sidérale de 0 h 0 min 0 sec à Londres. Il n'y en a que six parce que les six autres auront le même degré mais dans le signe opposé à leur cuspide; par exemple, la 4e, qui est opposée à la 10e, sera à 0° de la Balance, la 5e à 9° du Scorpion, la 6e à 22° du Sagittaire, la 7e sera en Capricorne, la 8e en Verseau, la 9e en Poissons, faisant ainsi le tour des 12 Maisons.

Le signe du zodiaque est indiqué en haut de la colonne appropriée mais cela varie avec l'heure sidérale, et il faut faire attention en lisant cette table. Par exemple, à l'heure sidérale de 0 h 22 min, le Cancer n'est plus ascendant à Londres, car le Lion a commencé à monter. De même, la cuspide de la 11e Maison à l'heure sidérale de 1 h 17 min est à 0° des Gémeaux; elle est passée du Taureau en Gémeaux.

Avec le système de Placide de la division des Maisons, la taille des Maisons peut varier considérablement (c'est-à-dire que certaines Maisons peuvent être de plus de 30°), et un signe qui ne coupe pas la cuspide d'une Maison en particulier, mais qui se trouve dans la Maison, est appelé signe intercepté. Cette déformation due au système de demi-arc devient plus prononcée quand les thèmes sont calculés pour de hautes latitudes. Quand un signe est intercepté dans une Maison, le signe opposé sera aussi intercepté dans la Maison opposée.

Quand l'heure de naissance n'est pas connue à 10 minutes près, il y a peu d'intérêt à noter la position exacte de l'ascendant en degré et en minutes. En fait, ce serait même une source d'erreur car cela impliquerait que l'heure de naissance est précise et que le thème a été calculé à une heure exacte. Il suffit de noter le degré le plus proche dans les tables. Si l'heure d'un événement ou d'une naissance est connue exactement, on peut alors faire des calculs précis. Il est presque certain que lorsque des calculs précis sont requis, l'heure sidérale locale ne correspondra pas au nombre que l'on trouverait dans les tables des Maisons et qu'une interpolation sera indispensable pour s'assurer du degré et des minutes exacts de l'ascension et de la culmination. Plusieurs exemples de la façon de trouver l'ascension et la culmination seront donnés dans la section des calculs.

À cause de la rotation de la Terre, les signes se lèvent et se couchent toutes les 24 heures; le temps moyen de la montée de 30° d'un signe est d'environ 2 heures, sauf aux latitudes polaires où certains signes ne se lèvent ni ne se couchent. À l'équateur, les signes se lèvent "régulièrement" mais, aux latitudes intermédiaires et en se rapprochant des pôles, les signes ne se lèvent pas régulièrement à cause de l'angle que l'écliptique fait avec l'équateur. Les signes qui prennent plus longtemps que la moyenne à se lever sont appelés les signes d'"ascension lente", tandis que ceux qui montent rapidement sont les signes d'''ascension courte''. À Londres, par exemple, les Poissons montent rapidement, en 52' environ d'heure sidérale, tandis que la Vierge, le signe opposé, prend 2 h 50 min à monter.

Chapitre 7

LES DIVISIONS DES MAISONS

Introduction

De ce que l'on en sait, l'Univers, même s'il est violent, demeure ordonné. Les corps célestes suivent leurs parcours prévus et leurs mouvements cycliques. Ces mouvements cycliques, les rythmes et les phénomènes qui y sont reliés ont, au cours des siècles, été associés aux activités de la Terre et aux conjonctures physiques et psychologiques communes aux hommes. L'esprit d'une époque reflète les dominantes célestes à un plus ou moins grand degré. Les principes de base de l'astrologie ne changent pas, mais l'interprétation des rapports cosmiques se modifie selon l'époque et la culture à laquelle ils sont associés.

L'astrologie de la préhistoire satisfaisait les besoins des hommes primitifs dans la mesure où ils avaient besoin d'adorer des dieux; existait-il des symboles supérieurs au Soleil, à la Lune et aux étoiles (qui semblaient immuables dans leur course à travers le ciel)? Le ciel inspirait un sens de l'ordre qui comblait un besoin de sécurité, quels que fussent les dangers et les désastres auxquels l'humanité devait faire face dans la lutte pour son existence. Pour nos ancêtres, la question de savoir si le Soleil tournait autour de la Terre ou la Terre autour du Soleil ne se posait pas. Sans aucun doute, ils pensaient que le Soleil tournait autour de la Terre, mais ce qui importait, c'était que le Soleil donnât la vie. Peu à peu, au cours du temps, leurs observations sur le Soleil et les planètes leur permirent de formuler des concepts sur la relation entre le ciel et la Terre.

Pour analyser ces mouvements célestes et prévoir leur influence, ils avaient besoin d'une force directrice. Ce qui était le plus évident, c'était le mouvement journalier du Soleil qui se levait, culminait et se couchait toutes les vingt-quatre heures. En divisant ce laps de temps, de l'aube à midi et de midi au coucher du Soleil, on pouvait établir un système de temps en fonction de ces divisions. Ces dernières variaient aux différentes époques de l'année selon la durée du Soleil au-dessus de l'horizon; sans aucun doute, ce sont elles qui donnèrent naissance à ce qu'on appellerait plus tard les Maisons.

La division de la sphère terrestre a probablement trouvé son origine dans les derniers siècles av. J.-C.; elle fut une tentative de rapprochement entre les signes, les planètes et les activités terrestres, autant qu'avec les tempéraments individuels. À la Renaissance (XVe siècle), les mathématiciens astrologues avaient inventé plusieurs systèmes de division du ciel en douze Maisons de l'"horoscope". Ces douze Maisons, compartiments ou segments correspondent à certaines formes d'activité ou d'expérience humaine et, bien que leur description en soit vétuste, les principes fondamentaux de la division des Maisons sont relativement exacts.

Du point de vue mathématique, le but de la division en Maisons est de donner une position longitudinale aux cuspides (le point d'intersection du demi-cercle qui limite la Maison avec l'écliptique) sur l'écliptique de chacune d'elles. À cause de la rotation de la Terre, les signes du zodiaque sur les cuspides des

Maisons changent continuellement; il se lèvent, culminent et se couchent toutes les vingt-quatre heures. Par conséquent, les planètes dans les signes changent aussi de position de Maison, "traversant" les douze Maisons toutes les vingt-quatre heures. À l'équateur, les signes se lèvent avec régularité, mais loin de l'équateur, ce n'est pas vrai. Certains signes se lèvent rapidement (ascension courte) tandis que d'autres se lèvent lentement (ascension lente). Dans les régions polaires, certains signes ne se lèvent ni ne se couchent, et c'est aux grandes latitudes que les Maisons présentent une déformation marquée. L'invention des différents systèmes de maisons et leurs complexités relatives sont discutées dans les "Méthodes de division des Maisons".

Un thème de naissance est un diagramme qui représente l'écliptique divisée entre douze signes du zodiaque, de 30° chacun. Les planètes et leurs positions sont indiquées en fonction de leur longitude dans les signes du zodiaque, et leur position dans les Maisons dépend du signe qu'elles occupaient à l'heure du jour à laquelle la naissance ou l'événement a eu lieu. Quand nous faisons un thème, nous ne l'établissons que pour un moment précis et dans un lieu donné. Bien que les planètes restent dans les différents signes pendant des temps variés, leur position dans la Maison change toutes les quelques heures ou moins — selon que le signe montait ou non et en fonction de la latitude du lieu. Pour déterminer le degré d'ascension (ascendant), il nous faut trouver l'heure sidérale de l'événement à la latitude appropriée et, l'ayant trouvée, nous pouvons alors déterminer l'ascension droite du méridien, ce qui donnera le degré de l'écliptique culminant en ce lieu à l'heure dite.

L'intersection de l'écliptique et de l'horizon représente la relation entre l'écliptique et la Terre et cette intersection est la cuspide de la 1re Maison dont la longitude, à cause de la rotation de la Terre, varie de 0° à 360°. Ainsi, quatre angles ont été définis. Toutefois, quand il s'agit, mathématiquement, de donner une valeur en degrés du zodiaque à chacune des Maisons intermédiaires, nous nous apercevons que c'est loin d'être simple.

Les Maisons sont une source de renseignements grâce auxquels on peut rattacher les potentialités d'un individu, telles qu'indiquées par les signes, les planètes et leurs configurations mutuelles, aux événements et aux conditions de vie. Comme la position cosmique est le seul facteur qui varie en un court laps de temps, il est important que le système de Maisons utilisé reflète les conditions et les événements de la vie tels qu'ils sont en réalité. Le seul moyen de vérifier un système consiste à procéder empiriquement, car aucune théorie ou spéculation ne peut remplacer une méthode réaliste et pratique. Les astrologues ne s'entendent pas sur la manière de définir le meilleur système de division des Maisons; le sujet est par conséquent un des plus controversé, et cela exige une recherche minutieuse et une vérification constante des données. On suggère au nouveau venu en astrologie d'utiliser d'abord les tables des éphémérides de Placide, ainsi que le système d'égalité des Maisons; par la suite, s'il juge ces deux systèmes inadéquats, il pourra puiser ses renseignements dans le vaste choix de systèmes qui s'offrent à lui.

Méthodes de division des Maisons

Au cours des dernières années, on a inventé des méthodes variées de division des Maisons; parmi elles, six seulement méritent considération, et on peut les classer en fonction des systèmes suivants:

A. Les systèmes d'écliptique
B. Les systèmes d'espace
C. Les systèmes de temps

Dans la catégorie A, nous avons le système d'égalité des Maisons, tel que décrit par Alan Leo (astrologue notoire de la première moitié du XXe siècle) comme "approximatif mais facile d'emploi", et qui fut ressuscité voilà une trentaine d'années. Ce système ne comporte pas de mathématiques compliquées et il est construit à partir de la division de l'écliptique en douze Maisons égales à partir de l'ascendant. Par exemple, si l'ascendant est à 10° du Bélier, la cuspide 2 sera à 10° du

Taureau, la cuspide 3 à 10° des Gémeaux, etc. Ce système projette simplement le zodiaque sur la sphère terrestre, mais la 10e cuspide ne coïncide pas nécessairement avec le Milieu-du-Ciel. Or le Milieu-du-Ciel est un point très important et on ne peut négliger le fait qu'il se trouve ailleurs que prévu. Beaucoup d'astrologues utilisent ce système et sont convaincus de sa valeur, en particulier quand ils s'occupent des attributs psychologiques tels que définis par les concepts modernes de comportement humain. Personnellement, je n'ai pas trouvé cette méthode particulièrement bonne; il est possible que sa valeur réside dans son approche psychologique de l'astrologie plutôt que dans son approche des événements et des conditions de vie.

Au IIIe siècle ap. J.-C., on inventa le système Porphyre; il est calculé à partir de la division en trois parties égales des demi-arcs de cercle. Le temps qu'une planète, une étoile ou un degré de l'écliptique se trouve au-dessus de l'horizon (demi-arc diurne) ou au-dessous de l'horizon (demi-arc nocturne). Avec ce système, les quadrants à l'est de l'écliptique sont divisés chacun en 3 arcs égaux. On trouve les cuspides des 11e et 12e Maisons en ajoutant 1/3 ou 2/3 de demi-arc diurne respectivement au Milieu-du-Ciel. Pour les 2e et 3e Maisons, on ajoute à l'ascendant 1/3 ou 2/3 au demi-arc nocturne. Si, par exemple, le Milieu-du-Ciel est à 3° en Scorpion et l'ascendant à 28° en Sagittaire, on définira comme suit les cuspides des 11e et 12e Maisons, ainsi que celles des 2e et 3e Maisons:

En utilisant le cercle de 360°, on a

M.C. (à 3° du Scorpion)	=	213
Asc. (à 28° du Sagitaire)	=	268
Différence		55 ÷ 3 = 18°
Asc. (à 28° du Sagittaire)	=	268
Fond-du-Ciel (I.C.) (à 3° du Taureau)	=	33
Différence		125 ÷ 3 = 41°
11e cuspide = M.C. + 18 = 231	=	21° du Scorpion

12e cuspide = Asc. − 18 = 250 = 10° du Sagittaire

2e cuspide = Asc. + 41 = 309 = 9° du Verseau

3e cuspide = I.C. − 41 = 352 = 22° des Poissons

Avec ce système de division des Maisons, les grands cercles définissant les limites des croissants des Maisons (la portion de surface d'une sphère contenue entre deux grands demi-cercles) se rencontrent aux pôles de l'écliptique et les quatre angles 1, 10, 7 et 4 sont les pointes des cuspides. Le Milieu-du-Ciel, toujours significatif, coïncide avec la 10e cuspide.

Pendant les années 50, Colin Evans apporta certaines modifications au système de Porphyre, et il définit la méthode de graduation naturelle. Cependant, cette méthode est sujette à caution autant que celle de Porphyre, car elle divise l'écliptique en parties inégales. Les détails de cette méthode et des autres systèmes sont donnés dans l'ouvrage de Colin Evans (*The New Waites Compendium of Natal Astrology*, édité en 1953).

Dans la catégorie B — système d'espace — nous nous apercevons que le cercle divisé n'est pas l'écliptique, mais un autre cercle. Dans le système Campanus, inventé par Johannes Campanus (mathématicien notoire du XIIIe siècle), c'est le premier vertical qui est divisé en arcs égaux de 30° chacun, ce premier vertical étant le cercle perpendiculaire à l'horizon passant par les points est et ouest. La base de ce système est la division en trois du quadrant du premier vertical par de grands cercles qui interceptent mutuellement au nord et au sud de l'horizon; les cuspides des Maisons sont alors les degrés de l'écliptique intersectés par ces cercles. Passant par les points est et ouest de l'horizon, par le zénith et le nadir, le premier vertical est divisé en quatre arcs de longueurs égales par l'horizon et le méridien. La division en trois des quadrants constitue les Maisons, et les grands cercles passant par ces points et par les points nord et sud de l'horizon constituent les limites des croissants des Maisons.

Comme la méthode de Porphyre, le système Campanus garde les quatre angles comme cuspides. Comme tous les systèmes de Maisons, le système Campanus présente des difficultés aux hautes latitudes parce que l'écliptique forme un angle aigu avec le premier vertical, de telle sorte que la position longitudinale des cuspides devient de plus en plus inégale par rapport à l'écliptique. Quelles que soient les lacunes du système Campanus en ce qui concerne les hautes latitudes, c'est un des rares systèmes qui mérite sérieuse considération. La division utilisant le premier vertical semble raisonnable et cette méthode est commode pour localiser les Maisons.

Johannes Müller, également connu sous le nom de Regiomontanus (1436-1476) était professeur d'astronomie à Vienne; il trouva un système qui était une adaptation de celui de Campanus. Tandis que Campanus prenait le premier vertical comme grand cercle, Regiomontanus prenait l'équateur céleste, le divisant également en arcs de 30° et en projetant ces divisions sur l'écliptique. Avec ce système, les quadrants de l'équateur céleste étaient divisés en 3 par de grands cercles s'intersectant mutuellement au nord et au sud de l'horizon, les cuspides se trouvant à l'intersection de ces cercles avec l'écliptique. La déformation des Maisons produite par cette méthode n'est pas aussi grande que celle produite par le système Campanus, et il semblerait que l'emploi d'un tel système, qui utilise l'équateur céleste et est relié à la rotation diurne de la Terre, soit justifié.

Un astrologue français, Jean-Baptiste Morinus (1583-1656) inventa un système de division des Maisons qui divise l'équateur en arcs égaux, comme le faisait Regiomontanus, mais avec la différence qu'il projette ces divisions égales sur l'écliptique en grands cercles qui passent par ses pôles. Avec ce système, l'ascendant n'est pas au point 0, mais est défini en ajoutant 90° à la longitude du Milieu-du-Ciel. Comme les pôles de l'écliptique sont fixes sur la sphère céleste, la taille des Maisons par rapport à l'écliptique ne varie pas avec la latitude, en raison de la relation qui existe entre les limites des Maisons et l'écliptique. Ce système est simple de conception, mais la seule relation qu'il ait avec l'écliptique est l'intersection des pointes des cuspides qui deviennent les pôles de l'écliptique.

La troisième catégorie de systèmes est celle de temps; et, de tous ceux qui s'y rattachent, c'est le système de Placide qui est le plus couramment utilisé. C'est le système pour lequel les tables sont établies dans les *Raphael's Ephemeris*. Cette méthode de division fut conçue par Placide de Tito, qui était professeur de mathématiques au XVIIe siècle. Ce système est basé sur la trisection du demi-arc de chaque degré de l'écliptique. Il ne divise ni la durée, ni l'espace entre l'horizon et le méridien, ce qui serait simpliste. Il prend la durée du déplacement entre l'ascendant et le Milieu-du-Ciel et divise ce temps en trois parties égales pour l'heure à laquelle ce degré définit les cuspides des 12e et 11e maisons. De même, le demi-arc nocturne du Fond-du-Ciel à l'ascendant est divisé en trois, et les durées sont celles auxquelles le même degré définira les cuspides des 2e et 3e Maisons. Les calculs qui suivent illustreront cette méthode:

À Londres (latitude 51° 32′ nord)

		h	min	Temps sidéral
M.C. = 4° du Scorpion	=	14	7	
I.C. = 4° du Taureau	=	2	7	
Asc. = 4° du Scorpion	=	9	14	
D'où l'arc semi-diurne				
	=	14	7	
	−	9	14	
	=	4	53 ÷ 3 =	1 h 38 min
et l'arc semi-nocturne	=	9	14	
	−	2	7	
	=	7	7 ÷ 3 =	2 h 22 min
4° du Scorpion est au Milieu-du-Ciel				
à	=	14	7	

11e cusp.	14 h 7 − 1 h 38	=	12	29
12e cusp.	12 h 29 − 1 h 38	=	10	51
Asc.			9	14
2e cusp.	9 h 14 − 2 h 22	=	6	52
3e cusp.	6 h 52 − 2 h 22	=	4	30

L'exemple ci-haut montre que, bien que le temps passé dans un quadrant quelconque par un degré peut être de longueur inégale, le mouvement est uniforme à cause de la rotation apparente du système céleste. Il atteint par conséquent les points de trisection (I.C. — asc. et asc. — M.C.) à précisément 1/3 du temps qu'il lui faudra pour faire un arc complet de ce quadrant. N'importe quel degré de l'écliptique fait une révolution complète en un jour sidéral, et l'heure à laquelle il atteint ces positions sur les arcs semi-diurnes et semi-nocturnes qui les divisent en 3 est l'heure à laquelle le degré devient le cuspide de la Maison.

Comme pour toutes les méthodes de division des Maisons qui utilisent l'ascendant comme point 0, la déformation se produit aux latitudes élevées et, à la latitude du cercle polaire (66 1/2°), un degré de l'écliptique deviendra pour la première fois circumpolaire. Au-dessus du cercle polaire, certains degrés de l'écliptique ne se lèveront pas et, par conséquent, ne pourront jamais devenir ascendants. On a beaucoup critiqué l'emploi du système de Placide, en particulier son utilisation aux hautes latitudes, car les conclusions que l'on a tirées des thèmes faits pour ces latitudes élevées sont trompeuses. Des discussions détaillées des différents systèmes de division des Maisons et des problèmes qui découlent de leur emploi se retrouvent dans *The Elements of House Division* (de Ralph William Holden, édité par L.N. Fowler en 1977) et dans *Tools of Astrology: Houses* (de Dona Marie Lorenz, édité par Eomega Grove Press en 1973).

La question de la division des Maisons est complexe et l'on n'est pas d'accord sur la méthode à utiliser, pas plus que sur celle qui donne les meilleurs résultats. On a peu écrit sur le sujet, bien que des articles soient publiés de temps à autre dans différentes revues astrologiques pour discuter du pour et du contre de ces systèmes. Les méthodes mentionnées dans ce livre ne sont que quelques-unes des nombreuses méthodes qui existent et, pour plus de renseignements, l'étudiant devra consulter les ouvrages mentionnés ci-dessus ainsi que *Casting the Horoscope* d'Alan Leo.

Chapitre 8

LES LOGARITHMES PROPORTIONNELS

Introduction

En dernière page des *Raphael's Ephemeris*, on trouve une table de logarithmes proportionnels; ces tables facilitent énormément le calcul des positions planétaires pour les heures autres que midi. Ces tables permettent de faire sans effort (vite et de façon précise) les calculs proportionnels. Ces tables ne sont pas des logarithmes au sens propre du terme, mais des compilations mathématiques qui utilisent la base de 24 heures (1440 min). En additionnant simplement deux log (logarithmes), on peut multiplier et, en les soustrayant, on peut diviser. Il n'est pas nécessaire de savoir comment ces tables sont compilées pour en faire usage. Il faut seulement faire attention en prenant le log approprié à la valeur cherchée. Malgré l'apparence rébarbative de ces tables, elles sont très faciles à utiliser et ne présentent aucune difficulté, même à ceux qui sont moins doués en mathématiques.

De gauche à droite, en haut de la table, on a les degrés ou les heures et, verticalement, les minutes sont indiquées de haut en bas, de telle sorte que tout ce que l'on doit faire pour obtenir le logarithme du degré ou de l'heure cherché(e) c'est de noter où les colonnes horizontales et verticales se rejoignent. Par exemple, le logarithme de 5° 30′ est 0,6398. L'utilité de cette table deviendra plus évidente quand nous examinerons des cas concrets. Comme pour tous les calculs, la possibilité d'erreur est réduite si l'on procède avec méthode et pas à pas. Pour déterminer la position d'une planète à une heure donnée, il faudra procéder comme suit:

1. Calculer l'intervalle de temps entre midi et l'heure de naissance et trouver le logarithme correspondant à cet intervalle. Ce logarithme restera constant et sera utilisé pour calculer les positions de toutes les planètes pour ce thème particulier.

2. Calculer le déplacement journalier de la planète en se référant aux p 26-28 des éphémérides (en se souvenant que pour les naissances ayant eu lieu avant midi, le déplacement est celui du jour précédent; par exemple, pour le 2 janvier, prendre le déplacement du 1er janvier). Trouver le logarithme de ce déplacement dans la table de log.

3. Additionner les logarithmes trouvés en 1. et 2. sans se préoccuper de savoir si l'intervalle de temps était avant ou après midi. La somme de ces deux logarithmes donnera le logarithme de déplacement de la planète dans l'intervalle requis.

4. À la position de la planète à midi, ajouter le degré et/ou la minute tel qu'indiqué par le logarithme calculé en 3. pour une naissance après midi, ou le (la) déduire pour une naissance avant midi; on aura la position de la planète à l'heure donnée. Si la planète est en régression, inverser le processus: ajouter pour avant midi et retrancher pour après midi.

Calcul des positions planétaires

Les exemples suivants illustrent l'utilisation de la table des logarithmes proportionnels et montrent comme il est facile, à partir de celle-ci, de calculer les positions des planètes.

Exemple no 1: Naissance avant midi

Trouver la position du Soleil à 2 h du matin (H.G.) le 2 janvier 1980.

SOLUTION

	Log	
1. 2 h = 10 h avant midi (intervalle 10)	0,3802	
2. Déplacement du Soleil (du 1er au 2 janv.) 1° 1′ 8″ (on ignore les sec):	1,3730	(ajouter)
3. D'après la table, log le plus proche = 1,7604 = 25 min	1,7532	

4. Position du Soleil à midi le 2 janv.

11° 14′ 33″ dans le Capricorne duquel on déduit
0 25 00

10 50 = Position du Soleil à 2 h du matin (H.G.)

Exemple no 2: Naissance après midi

On demande la position du Soleil à 18 h 15 (H.G.) le 2 janvier 1980.

SOLUTION

1. 18 h 15 = 6 h 15 min après midi	0,5843	
2. Déplacement du Soleil du 2 au 3 janv. 1° 1′ 8″ (on ignore les sec):	1,3730	(ajouter)
3. D'après la table, log le plus proche = 1,9542 = 16′	1,9573	

4. Position du Soleil à midi le 2 janv.

11° 14′ 33″ + 16′ = 11° 31′

La position du Soleil à 18 h 15 le 2 janv. est de 11° 31′ dans le Capricorne

Exemple no 3

On demande de trouver la position de la Lune le 2 janvier 1980 à 5 h 45 du matin (H.G.).

SOLUTION

	Log
1. 5 h 45 = 12 h 00 − 5 h 45 = 6 h 15 (intervalle jusqu'à midi):	0,5843
2. Déplacement de la Lune du 1er au 2 janv. 12° 58′	+ 0,2674
3. D'après la table, log le plus proche = 0,8509 = 3° 23′	0,8517

4. Position de la Lune le 2 janv. à midi:

	12°	42′	dans le Cancer (dont on retranche
−	3	23	parce qu'il s'agit d'une naissance avant midi)
	9	19	dans le Cancer = la position de la Lune le 2 janv. 1980 à 5 h 45 du matin (H.G.)

Si l'on utilisait une calculatrice, on aurait:

Position de la Lune à midi le 2 janvier:	12°	42′
Position de la Lune à minuit (du 1er au 2 janv.):	6°	15′
Déplacement en 12 heures:	6°	27′

$$6° \, 27' = \frac{6{,}45 \times 5{,}75 \text{ (5 h 45 du matin)}}{12}$$

= 3,0906 = 3° 5′ qui, ajoutés à la position à minuit 6° 15′ = 9° 20′ du Cancer, ce qui est suffisamment proche de la position trouvée par la table de log.

Exemple no 4

Trouver la position de Mercure, Vénus et Mars le 2 janvier 1980 à 3 h du matin (H.G.).

SOLUTION

Log

1. 3 h = 9 h d'intervalle
jusqu'à midi: 0,4260 (constante)

2. Déplacement journalier de Mercure
du 1er au 2 janv.
1° 32′ : + 1,1946

3. D'après la table de log le chiffre le plus
proche = 1,6269 = 34 minutes 1,6206

4. Position de Mercure à midi le 2 janv.

	0°	15′	dans le Capricorne, dont on déduit
–	0°	34′	
	29°	41′	dans le Sagittaire = *position de Mercure* à 3 h du matin (H.G.) le 2 janvier

1. 9 heures d'intervalle: 0,4260

2. Déplacement de Vénus du 1er au
2 janv. 1° 14′ : + 1,2891

3. Log le plus proche = 1,7112 1,7151
= 28 minutes

4. Position de Vénus à midi le 2 janv.

	13° 15′	dans le Verseau, dont on déduit
–	0° 28′	
	12° 47′	Verseau = *position de Vénus* à 3 h du matin (H.G.)

1. 9 heures d'intervalle: 0,4260

2: Déplacement de Mars 1/2 janv.
0° 10′ + 2,1584

3. Log le plus proche = 2,5563 =
4 minutes 2,5844

4. Position de Mars à midi le 2 janvier:

	14° 13′	dans la Vierge, dont on déduit
−	0° 4′	
	14° 9′	dans la Vierge = *position de Mars* à 3 h du matin (H.G.)

Exemple no 5

Trouver la déclinaison de la Lune à 16 h (H.G.) le 6 janvier.

SOLUTION

	Log
1. 16 h = 4 heures d'intervalle depuis midi:	0,7781
2. Déclinaison de la Lune en 24 heures = 3° 27′ nord, décroissante:	+ 0,8424
3. Log le plus proche = 1,6143 = 35 minutes	1,6205

4. Position de la lune en déclinaison à midi le 6 janv. =

	10° 55′	nord, décroissante, donc nous soustrayons
−	0° 35′	
	10° 20′	déclinaison nord = déclinaison de la Lune le 6 janvier à 16 h (H.G.). Si la déclinaison avait été croissante, nous aurions ajouté les 35′ à la position de la Lune à midi.

En utilisant une calculatrice:

$$3° \quad 27' = \frac{3,45 \times 4}{24} = 0,575 = 0° \; 34' \; 30'',$$

ce qui vérifie les calculs effectués par logarithmes à la minute près.

Lorsque les planètes sont en régression, le déplacement pendant l'intervalle de temps est ajouté pour les naissances avant midi et retranché pour les autres.

Exemple no 6

Trouver la position de Mars le 26 janvier à 23 h 15 (H.G.).
À cette date, Mars est en régression.

SOLUTION

	Log
1. 23 h 15 = intervalle de 11 h 15 min après midi:	0,3291
2. Déplacement de Mars le 26 janv. (9 minutes):	+ 2,2041
3. Log le plus proche 2,5563 = 4 minutes	2,5332

4. Position de Mars à midi le 26 janvier:

14° 40′ dans la Vierge, dont on déduit
− 0° 4′

14° 36′ dans la Vierge = position de Mars le 26 janvier à 23 h 15 (H.G.). Bien que la naissance ait eu lieu après midi, nous avons retranché les 4′ parce que la planète était en régression

Exemple no 7

Trouver la position de Mars à 3 h 30 du matin (H.G.) le 26 janv. 1980.

SOLUTION

1. 3 h 30 = 8 h 30 min d'intervalle jusqu'à midi	0,4508
2. Déplacement de Mars le 25 janvier = 8 minutes	2,2553
3. Log le plus proche = 2,6812 = 3 minutes	2,7061

4. Position de Mars à midi le 26 janvier

14° 40′ dans la Vierge, auxquels on ajoute
+ 0° 3′ car la planète est en régression

14° 43′ dans la Vierge = position de Mars à 3 h 30 du matin (H.G.) le 26 janvier. Si Mars n'avait pas été en régression, on aurait déduit les 3′ puisqu'il s'agit d'une naissance avant midi.

Chapitre 9

CALCUL DE THÈMES POUR LES HÉMISPHÈRES NORD ET SUD

Ce dont vous aurez besoin

Pour calculer un thème de naissance, nous avons besoin:

a) des données de la naissance: l'heure, la date et le lieu;
b) des éphémérides comprenant l'année de la naissance;
c) des tables des Maisons pour la latitude concernée;
d d'un répertoire géographique pour vérifier les coordonnées (latitude et longitude);
e) des éphémérides de Pluton (si la naissance est antérieure à 1934);
f) des tables et ouvrages de références donnant les heures légales et les heures d'été (heures avancées);
g) des tables de conversion de temps moyen en temps sidéral et des tables d'équivalence en temps de la longitude;

h) de papier, de formules de thèmes, et de tout ce qui peut aider à faire les calculs;

i) d'une calculatrice avec fonction sexagésimale. Cette dernière n'est pas essentielle, mais s'il faut calculer beaucoup de thèmes, elle sera très utile pour gagner du temps et faciliter le travail.

Les six premiers articles de cette liste sont indispensables pour faire un thème convenablement; le septième peut être omis si l'on utilise une calculatrice, car il est alors facile de faire les conversions soi-même.

Les formules de thèmes sont utiles lorsque l'on en fait beaucoup, car on peut alors les classer plus facilement. Au début, on peut utiliser du papier de brouillon pour s'exercer et éviter ainsi le gaspillage. Beaucoup de tables se trouvent dans ce livre qui permettront au lecteur de calculer le thème natal, et les renseignements concernant les différents livres de référence se trouvent au chapitre "Ouvrages de référence".

Calcul du thème natal : l'heure

Heure moyenne de Greenwich (H.G.) à la naissance:

1. Heure de naissance (généralement l'heure indiquée par l'horloge = Heure légale ou heure avancée)
2. Heure avancée, etc: déduire de l'heure d'horloge donnée =
3. Heure légale de naissance:
4. Heure légale du fuseau: déduire pour les long. est
ajouter pour les long. ouest
5. On a:
   - l'heure de naissance en H.G.
   - les positions des planètes calculées pour cette heure-là

Heure locale sidérale à la naissance:

1. Heure sidérale à midi à Greenwich:
2. Intervalle H.G. depuis/jusqu'à midi: déduire pour le matin
ajouter pour l'après-midi
3. Correction du temps moyen en temps sidéral: 9, 86 sec par heure (matin — après-midi +)

4. On a: l'heure sidérale de Greenwich à la naissance
5. Équivalent de longitude: déduire pour l'ouest,
   ajouter pour l'est
6. On a:
   - l'heure sidérale locale à la naissance
   - l'ascendant, le Milieu-du-Ciel et les cuspides des Maisons pour cette heure-là

Calcul de H.G. à la naissance

Exemple: Heure de naissance à 18 h 00 le 10 janvier 1980 à New York.

		h	min	sec
1. Heure à la naissance		18	0	0
2. Heure avancée (ne s'applique pas ici)		0	0	0
3. Heure légale (H.N.E.)		18	0	0
4. Heure du fuseau (75° ouest)	+	5	0	0
5. H.G. à la naissance *		23	0	0

* *Les positions des planètes sont calculées pour cette heure-là.*

Calcul de l'heure sidérale locale à la naissance

		h	min	sec
1. Heure sidérale de Greenwich à midi		19	16	42
2. Intervalle de H.G. depuis midi	+	11	00	00
		30	16	42
3. Correction de temps moyen en temps sidéral (9,86 sec par h × 11 h)	+		1	48
4. Temps sid. de naiss. à Greenwich		30	18	30

5. Équivalent de long. (73° 57′ ouest) / 15	− 4	55	48
	25	22	42
	−24	00	00
6. Heure sid. loc. à la naissance *	1	22	42

* *L'ascendant, le Milieu-du-Ciel et les cuspides des Maisons sont calculés ou peuvent être trouvés dans les tables des Maisons pour New York à cette heure-là.*

Maintenant que nous avons tout le matériel nécessaire sous la main, nous pouvons commencer à calculer le thème natal. Nous ferons d'abord un thème pour Londres, après quoi nous en ferons d'autres pour différentes parties du monde.

Exemple no 1

	Heure	date	lieu
Données à la naissance:	19 h 15 H.G.	6 janvier 1980	Londres lat. 51° 32′ nord long. — —

Nous savons que l'heure donnée est en H.G. car c'était l'heure légale en vigueur en Angleterre à cette date. Nous inscrivons ces données et nos sources de renseignements sur notre feuille de travail:

	Jour	Mois	Année		Renseignements
Date de naiss.	6	1	80		tels que donnés
Lieu de naiss.					
Londres: lat.				51° 32′ N.	répertoire géog.
long.				— —	
	h	min	sec		
Heure de naiss.	19	15	00		telle que donnée
H.G. de naiss.	19	15	00		telle que donnée (on a vérifié que le H.G. était en vigueur)

Heure sid. à midi H.G.:	19	00	56	*Raphael's Ephemeris* 6 janv. 1980
Intervalle depuis midi	+ 7	15	00	tel que donné
On a:	26	15	56	
Correction (9,86 sec/h)	+	1	12	table de conversion
Temps sid. à Greenwich	26	17	08	
Équiv. de long.	—	—	—	
Déduire:	24	00	00	
Heure sid. loc. de naiss.	2	17	08	= Heure sid. à Londres (19 h 15)

D'après les tables de Maisons pour Londres, à l'heure loc. sidérale de naissance (2 h 17′ 08′) nous obtenons les longitudes zodiacales des cuspides:

Ascendants

10e	11e	12e	1er	2e	3e
7 ♉	16 ♊	22 ♋	21 ♌	10 ♍	4 ♎

et, conséquemment, les Maisons opposées auront les mêmes degrés dans les signes opposés

4e	5e	6e	7e	8e	9e
7 ♏	16 ♐	22 ♑	21 ♒	10 ♓	4 ♈

Sur la formule de thème, nous inscrirons les signes et les degrés trouvés dans les tables. Comme la naissance a eu lieu à 19 h 15 (H.G.), nous savons que le Soleil a dû se coucher quelques heures plus tôt et que, par conséquent, sa position doit se trouver au-dessous de l'horizon à l'heure de la naissance. En vérifiant les signes sur les cuspides, on voit que le Capricorne est sur la 6e cuspide et que le Soleil se trouve dans ce signe à environ 15°, ce qui vérifie les renseignements que nous avons pris dans les tables pour Londres.

Exemple no 1: Trouver l'ascendant et le Milieu-du-Ciel à partir de l'heure sidérale locale donnée à la naissance.

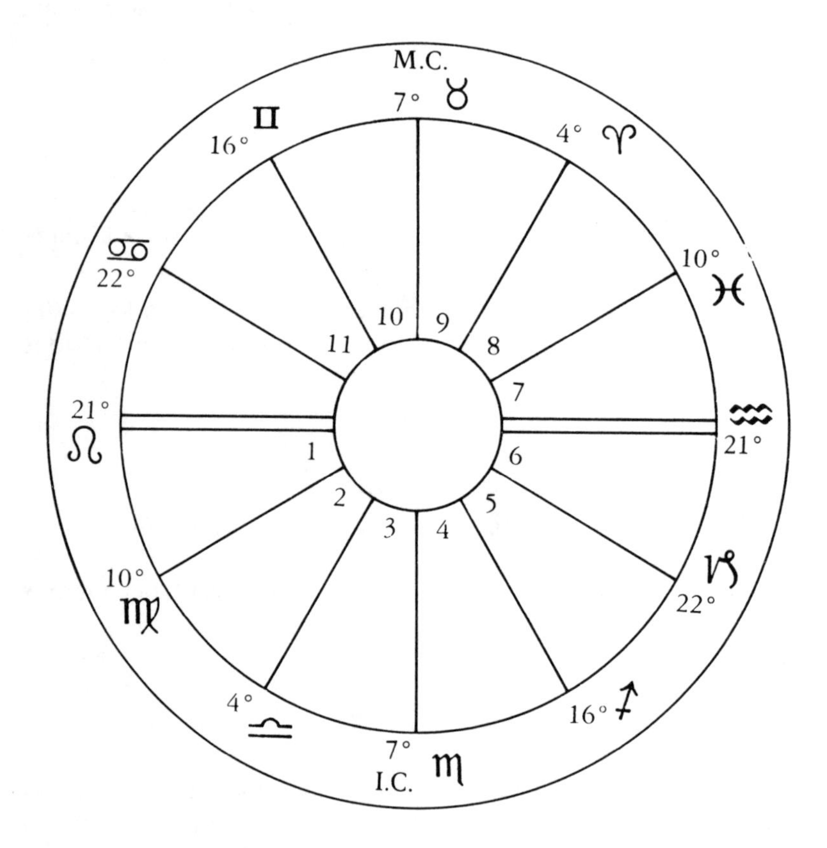

Données de naissance
Heure: 19 h 15 (H.G.)
Date: 6 janvier 1980
Lieu: Londres
Heure sidérale locale calculée: 2 h 17 min 8 sec

Calcul de l'heure sidérale locale

Formulaire «A» Feuille de travail		J	M	A
Date de naissance		6	1	1980
Lieu de naissance		Londres		
Latitude N	~~S~~	51 32	-	-
Longitude ~~E~~	~~O~~	- -	-	-
		h	m	s
Heure de naissance (matin) (après-midi)		7	15	00
Heure légale E	—	-	-	-
O	+	-	-	-
Heure d'été	—	-	-	-
H.G. à la naissance (matin) (après-midi)		7	15	00
Date de Greenwich 6-1-80				

Date de Greenwich

J	M	A
6	1	80

Intervalle (Différence avec H.G.)

	h	m	s
retard	-	-	-
avance	7	15	00

Heure sidérale		h	m	s
Lorsque H.G. = midi		19	00	56
Intervalle:				
retard (matin)	—	-	-	-
avance (après-midi)	+	7	15	00
		2	15	56
Correction (9,86 s/h) (matin)	—	-	-	-
(après-midi)	+		1	12
Heure sidérale de naissance à Greenwich		2	17	08
Équivalent de long. E	+	-	-	-
O	—	-	-	-
		2	17	08
Correction de long. E	—	-	-	-
O	+	-	-	-
Heure sidérale locale à la naissance		2	17	08
Ajouter 12 h pour les latitudes sud		-	-	-
D'après les tables des Maisons		Asc. 21 ♌ M.C. 7 ♉		

Calcul de la constante: INTERVALLE
÷ 24
= 0,30208

Log de l'intervalle
= 0,5199

Exemple n° 2: Insérer les positions des planètes.

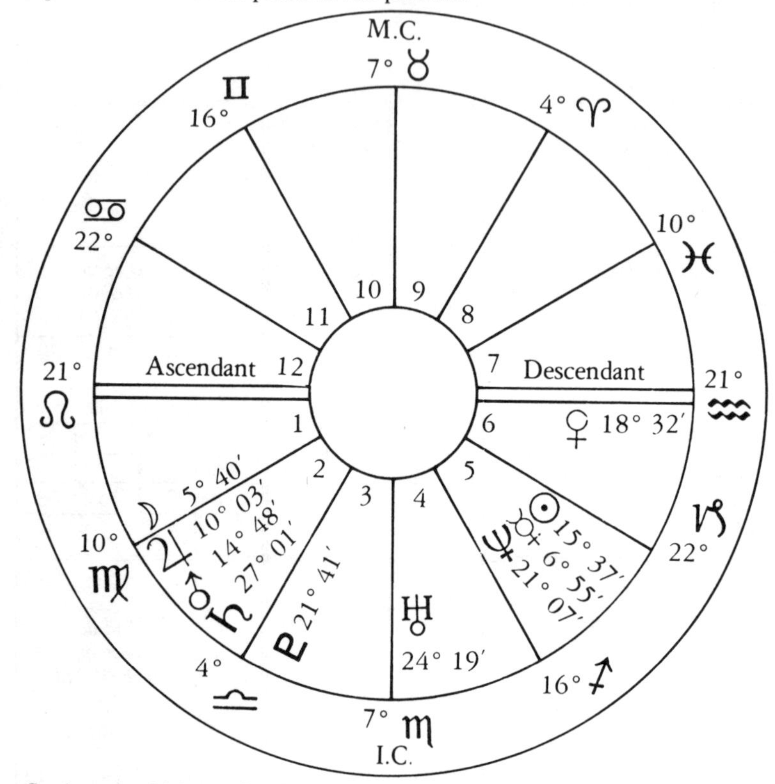

Système des Maisons de Placide

Données de naissance:
Heure: 19 h 15 (H.G.)
Date: 6 janvier 1980
Lieu: Londres

Planète	Symbole	Signe	Maison
Soleil	☉	Capricorne	5
Lune	☽	Vierge	1
Mercure	☿	Capricorne	5
Vénus	♀	Verseau	6
Mars	♂	Vierge	2
Jupiter	♃	Vierge	2
Saturne	♄	Vierge	2
Uranus	♅	Scorpion	4
Neptune	♆	Sagittaire	5
Pluton	♇	Balance	3

Système d'égalité des Maisons: 19 h 15 (H.G.), le 6 janvier 1980 à Londres.

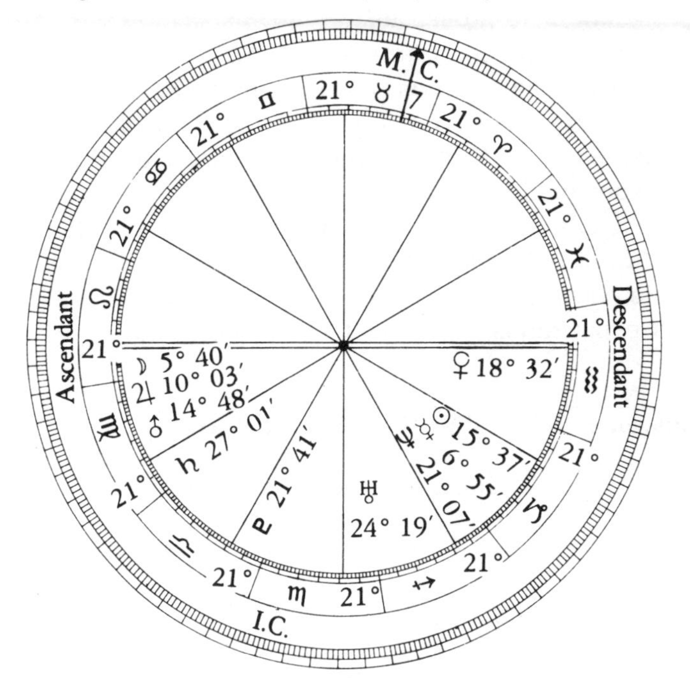

Calcul des positions des planètes

Quand on calcule un thème, il faut commencer par trouver l'heure sidérale locale de naissance afin de pouvoir déterminer le signe montant /ascendant) et les signes et degrés sur les différentes cuspides. On calcule ensuite les positions des planètes à l'heure de Greenwich au moment de la naissance; on les calcule pour l'heure de Greenwich parce que les éphémérides sont faites à partir de cette dernière et que les longitudes des planètes données dans les éphémérides sont celles de Greenwich à midi (H.G.). En fait, les positions sont à l'heure des éphémérides (+51 sec) mais, en ce qui nous concerne, nous faisons comme si elles étaient à midi (H.G.).

Il y a deux méthodes principales pour calculer les positions des planètes: a) en utilisant les logarithmes proportionnels et b) en utilisant une calculatrice. Nous utiliserons les deux méthodes pour en montrer le processus.

On peut trouver bizarre qu'à notre époque de "paperasserie" il faille encore remplir divers formulaires même en astrologie; mais l'expérience a démontré que si nous relevons tous les renseignements de façon méthodique, les risques d'erreur et d'oublis sont grandement diminués.

La feuille de travail (formulaire B) montre les renseignements qui ont servi à trouver les longitudes des planètes à l'heure de naissance donnée (19 h 15, H.G.). Ci-dessous, on trouvera les explications de ces différentes données:

Formulaire "B" FEUILLE DE TRAVAIL

Calcul des longitudes des planètes en
utilisant une calculatrice
19 h 15 (H.G.), le 6 janvier 1980

Constante $= (7 \text{ h } 15) \frac{7.25}{24}$

$= 0{,}30208$

	☉ ° ′	☽ ° ′	☿ ° ′	♀ ° ′	♂ ° ′
Calculatrice 0,30208 Constante × déplacement du jour = Déplacement cherché	0 18	3 35	0 28	0 22	0 02
Position à midi Signe	♑	♍	♑	♒	♍
Longitude	15 19	2 05	6 27	18 10	14 46
Déplacement cherché (matin) (° ′) (après-midi) *	0 18	3 35	0 28	0 22	0 02
= Position de la planète à l'heure donnée	15 37	5 40	6 55	18 32	14 48
* *Inverser si la planète est en régression*					

Positions des planètes

♈	♉	♊	♋	♌	♍	♎	♏	♐	♑	♒	♓
					☽ 5° 40′	♇ 21° 41′	♅ 24° 19′	♆ 21° 07′	☿ 6° 55′	♀ 18° 32′	
					♃ 10° 03′				☉ 15° 37′		
					♂ 14° 48′						
					♄ 27° 01′						

Formulaire "B" **FEUILLE DE TRAVAIL**

Calculer la longitude des planètes en
se servant des logarithmes proportionnels pour
19 h 15 le 6 janvier 1980

Planète	☉	☽	☿	♀	♂
Déplacement en 24 heures (° ′)	1 01	11 52	1 33	1 ·14	0 07
Log du déplacement	1.3730	0.3059	1.1899	1.2891	2.3133
+ Log de l'intervalle	0.5199	0.5199	0.5199	0.5199	0.5199
= Log du dépl. cherché	1.8929	0.8258	1.7098	1.8090	2.8332
= Degrés et min	0 18	3 35	0 28	0 22	0 02
Position à midi Signe	♑	♍	♑	♒	♍
Longitude	15 19	2 05	6 27	18 10	14 46
Déplacement durant l'intervalle (après-midi + *) Degrés et min	—	—	—	—	—
	0 18	3 35	0 28	0 22	0 02
= *Position de la planète à l'heure donnée*	15 37	5 40	6 55	18 32	14 48

* *Inverser si la planète est en régression*

1. Déplacement en 24 heures = distance parcourue par la planète en 24 heures de midi le 6 janvier à midi le 7. Ce déplacement se trouve en p.26 des éphémérides.
2. Log du déplacement = log du déplacement en 24 h. Ce renseignement se trouve dans la table de log.
3. Log de l'intervalle = l'intervalle (en H.G.) de midi à l'heure de naissance (19 h 15); ce log est constant pour tous les calculs des positions des planètes.
4. Log de déplacement cherché = l'addition du log du déplacement en 24 h et du log de l'intervalle.
5. Degrés et minutes = le log de déplacement cherché, exprimé en degrés et en minutes.
   On le trouve dans la table des logarithmes proportionnels. (À noter que l'on prend le nombre le plus proche de celui que l'on cherche.)
6. La longitude la planète et le signe dans lequel elle se trouve à midi sont indiqués dans les éphémérides et, à cette position à midi, on ajoute le déplacement trouvé. Dans ce cas particulier, le déplacement en 7 h 15 est ajouté à la position à midi et l'on trouve ainsi la longitude de la planète à l'heure donnée de 19 h 15. Si la planète avait été en régression, on aurait déduit le déplacement pendant l'intervalle pour une naissance l'après-midi, et on l'aurait ajouté pour une naissance avant midi.

À noter aussi que le log de déplacement en 24 heures et le log de l'intervalle sont toujours additionnés quel que soit le moment de la naissance (le matin ou l'après-midi). Cette partie du calcul est faite pour déterminer le log de déplacement et il importe peu que l'écart de temps soit calculé pour le matin ou l'après-midi.

Comment entrer les planètes dans le thème

Une fois que l'on a calculé les longitudes des planètes et qu'on les a vérifiées, on peut commencer à les inscrire dans le thème. Sur la feuille de travail (formulaire B), nous avons inscrit les planètes par ordre numérique et selon leurs positions zodiacales. Ceci nous permet de les inscrire proprement et méthodiquement sur le thème. Nous avons déjà défini les cuspides des Maisons et inscrit les signes, de telle sorte que nous pouvons maintenant ajouter les planètes selon leurs positions, en faisant bien attention de les placer dans les bonnes Maisons. Par exemple, le Soleil est à 15° 37′ en Capricorne, donc sa position sera dans la 5e Maison puisque c'est celle qui contient les degrés 0 à 22 du Capricorne. De même avec les autres planètes, qui seront inscrites dans leurs signes et Maisons appropriés. L'exemple no 2 (p. 140) montre les planètes dans leurs signes et leurs Maisons.

Formulaire «B» **FEUILLE DE TRAVAIL**

Calcul de la longitude des planètes à 6 h 30 (H.G.), le 26 janvier 1980 (22 h 30, heure du Pacifique, le 25 janvier 1980 à San Francisco)

Calculatrice

Calculatrice: 0,22916 Constante X déplacement quotidien = déplacement cherché	☉ ° ′ 0 14	☽ ° ′ 3 06	☿ ° ′ 0 24	♀ ° ′ 0 17	♂ ° ′ 0 02
Position à midi Signe	♒	♉	♒	♓	♍ ℞
Longitude	5 41	29 53	9 12	12 36	14 40
Déplacement cherché (matin) −* (° ’) (après-midi) +*	0 14	3 06	0 24	0 17	0 02
Position des planètes	5 27	26 47	8 48	12 19	14 42
* *Inverser si le mouvement de la planète est rétrograde*					

Position des planètes

♈	♉	♊	♋	♌	♍	♎	♏	♐	♑	♒	♓
	☽ 26° 47′				♃ 8° 46′	♇ 21° 47′	♅ 25° 03′	♆ 21° 46′		☉ 5° 27′	♀ 12° 19′
					♂ 14° 42′					☿ 8° 48′	
					♄ 26° 40′						

Formulaire «B» **FEUILLE DE TRAVAIL**

Calcul de la longitude des planètes à 6 h 30 (H.G.),
le 26 janvier 1980
(22 h 30, heure du Pacifique, le 25 janvier 1980 à San Francisco)

Logarithmes

Planète	☉ ° ′	☽ ° ′	☿ ° ′	♀ ° ′	♂ ° ′
Déplacement en 24 h	1 01	13 31	1 44	1 13	0 08
Log du déplacement	1.3730	0.2493	1.1413	1.2950	2.2553
+ Log de l'intervalle	0.6398	0.6398	0.6398	0.6398	0.6398
= Log du déplacement cherché	2.0128	0.8891	1.7811	1.9348	2.8951
= (° ′)	0 14	3 06	0 24	0 17	0 02
Position à midi Signe	♒	♉	♒	♓	♍ ℞
Longitude	5 41	29 53	9 12	12 36	14 40
Déplacement durant l'intervalle (° ′) (matin) −*	0 14	3 06	0 24	0 17	0 02
(après-midi) +*					
= Position de la planète	5 27	26 47	8 48	12 19	14 42
* *Inverser si le mouvement de la planète est rétrograde*					

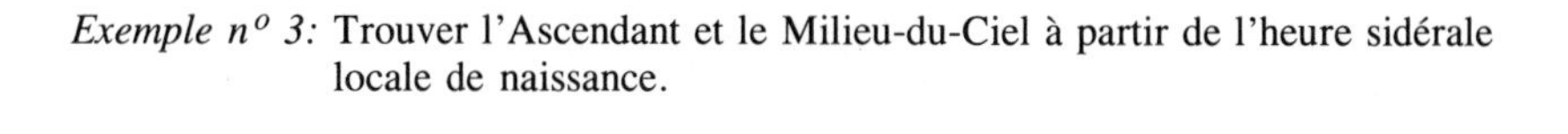

Exemple nº 3: Trouver l'Ascendant et le Milieu-du-Ciel à partir de l'heure sidérale locale de naissance.

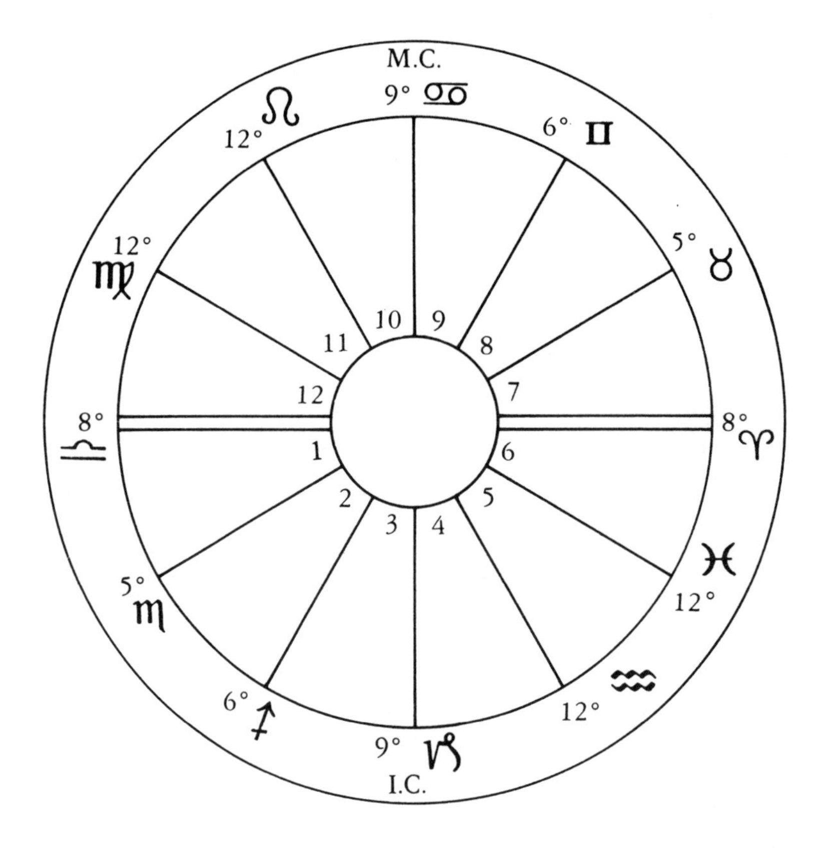

Données de naisssance:
Heure: 22 h 30, heure du Pacifique
Date: 25 janvier 1980
Lieu: San Francisco
Heure sidérable locale figurant sur la feuille de travail: 6 h 40' 29''.

Calcul de l'heure sidérale locale

Formulaire «A» Feuille de travail			J	M	A
Date de naissance			25	1	1980
Lieu de naissance			San Francisco		
Latitude	N	~~S~~	3747	-	-
Longitude	~~E~~	O	12226	-	-
			h	m	s
Heure de naissance (matin)					
(après-midi)			10	30	00
Heure légale	E	—	-	-	-
	O	+	8	00	-
Heure d'été		—	-	-	-
H.G. à la naissance (matin)			6	30	-
(après-midi)			-	-	-
Date de Greenwich 26-1-80					
Heure sidérale					
Lorsque H.G. = midi			20	19	47
Intervalle:					
retard (matin)		—	5	30	00
avance (après-midi)		+	-	-	-
			14	49	47
Correction (9,6 s/h)					
(matin)		—	-	-	54
(après-midi)		+	-	-	-
Heure sidérale de naissance à Greenwich			14	48	53
Équiv. de long.	E	+	-	-	-
	O	—	8	09	44
			6	39	09
Correction de long.	E	—	-	-	-
	O	+	-	01	20
Heure sidérable locale à la naissance			6	40	29
Ajouter 12 h pour les latitudes sud			-	-	-
D'après les tables des Maisons			Asc. 8 ♎ M.C. 9 ♋		

Date de Greenwich

J	M	A
26	1	80

Intervalle (Différence avec H.G.)

	h	m	s
retard	5	30	-
avance	-	-	-

Calcul de la constante:

INTERVALLE
÷ 24
= 0.22916

Log de l'intervalle
= 0.6398

Example n° 4: Insérer les positions des planètes.

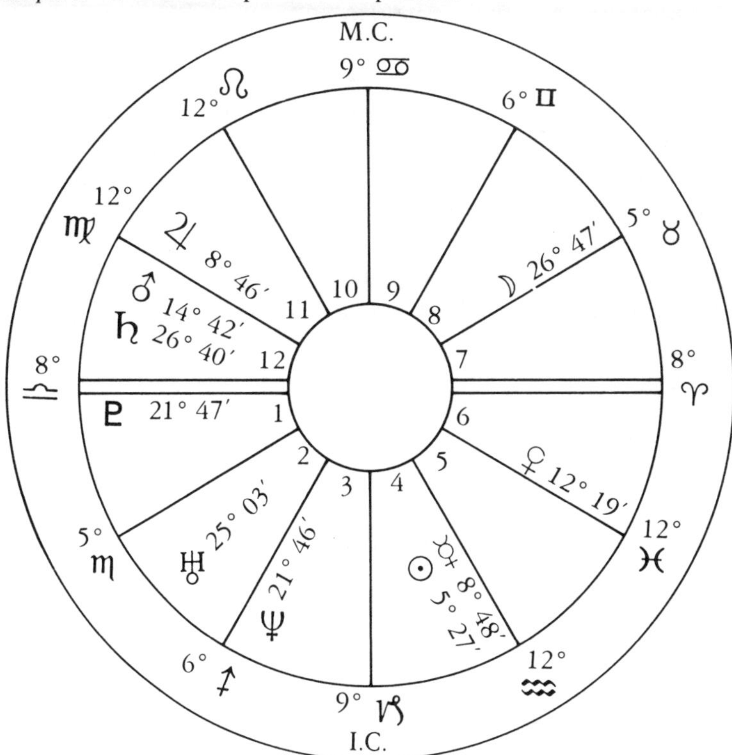

Données de naissance:
Heure: 22 h 30 heure du pacifique
Date: 25 janvier 1980
Lieu: San Francisco

Planète	Symbole	Signe	Maison
Soleil	☉	Verseau	4
Lune	☽	Taureau	8
Mercure	☿	Verseau	4
Vénus	♀	Poissons	6
Mars	♂	Vierge	12
Jupiter	♃	Vierge	11
Saturne	♄	Vierge	12
Uranus	♅	Scorpion	2
Neptune	♆	Sagittaire	3
Pluton	♇	Balance	1

Calcul de thèmes pour l'hémisphère nord

Pour calculer un thème pour une naissance à l'étranger, nous devons convertir l'heure indiquée à l'horloge en son équivalent en heure de Greenwich et prendre l'équivalent de longitude en temps. Ce calcul est nécessaire parce que l'on a besoin de l'heure de Greenwich pour calculer les positions des planètes et de l'équivalent de longitude en temps pour trouver l'heure sidérale locale à partir de laquelle nous déterminerons l'ascendant et les positions des maisons.

Exemple no 3

Données de naissance: 22 h 30 HNP (Heure du Pacifique)
25 janv. 1980, San Francisco
lat.: 37° 47′ nord
long.: 122° 26′ ouest

Comme l'heure légale est en retard de 8 heures sur celle de Greenwich, nous ajouterons 8 h à l'heure donnée (22 h 30) ce qui donne 6 h 30 du matin, le 26 janvier. Notez que la date a changé. Les positions des planètes seront calculées pour 6 h 30 le 26 janvier. Pour trouver l'heure sidérale locale de naissance, nous prendrons l'heure sidérale à Greenwich à midi le 26 janvier et déduirons l'intervalle en heure de Greenwich jusqu'à midi (5 h 30), moins la correction entre l'heure moyenne et l'heure sidérale (5,30 × 9,86 sec), ce qui donnera l'heure sidérale de naissance à Greenwich. Mais nous voulons l'heure sidérale locale de naissance; donc, de l'heure sidérale de naissance à Greenwich (14 h 48′ 53″) nous déduirons l'équivalent de longitude en temps (122° 26′ ÷ 15) ce qui donnera 8 h 9′ 44″, et, si nous voulons être précis, ajouterons les corrections pour la longitude (1′20″), ce qui donne 14 h 48′ 53″ − 8 h 09′ 4″ + 1′20″ =

	14	48	53
–	8	09	44
	6	39	09
+		1	20
	6	40	29

qui est l'heure locale sidérale de naissance

La table des Maisons pour la latitude 37° 58′ (la plus proche) à l'heure sidérale de naissance (6 h 40′ 29″) place l'ascendant à 8° en Balance et le Milieu-du-Ciel à 9° en Cancer. Les calculs et le thème terminés se trouvent dans les exemples 3 et 4.

Calcul de thèmes pour les latitudes sud

Introduction

La façon de procéder pour les localités situées dans l'hémisphère sud est souvent confuse parce que généralement mal expliquée. Ce n'est pas plus difficile de faire un thème pour le Pacifique sud que pour Londres. La seule différence est l'ajustement qu'il faut apporter si l'on utilise les tables des Maisons pour les latitudes nord.

Beaucoup d'erreurs peuvent être évitées si l'on se représente le ciel tel qu'il apparaît à l'observateur qui se trouve en latitude sud. L'horizon est un grand cercle; chaque cercle et chaque plan de l'hémisphère nord avaient leur projection dans l'hémisphère sud. L'observateur dans l'hémisphère sud regarde le même horizon à l'autre extrémité de l'axe. Les points d'intersection des plans et des cercles de l'horizon et de l'écliptique sont les points de l'ascendant et du descendant (1er et 7e cuspides). Le point de l'ascendant de l'hémisphère nord est le descendant dans l'hémisphère sud.

Par exemple, en Nouvelle-Zélande (différence de 12 heures avec Londres) le Soleil se lèverait vers 6 h pour se coucher vers 18 h du jour précédent à la même latitude transposée dans l'hémisphère nord. Si nous considérons l'écliptique (le parcours du Soleil), vue par un observateur dans l'hémisphère sud, le Soleil se lève à l'est, culmine au nord et se couche à l'ouest. L'observateur dans l'hémisphère nord voit le Soleil se lever à l'est (à sa gauche s'il fait face au sud) culminer au sud et se coucher à l'ouest. En hémisphère sud, la personne voit le Soleil se lever à sa droite et culminer au nord.

La rotation de la Terre se fait d'ouest en est, et parce que les levers du Soleil, de la Lune et des planètes (y compris les signes du zodiaque) sont déterminés par la rotation de la Terre, leur lever se fait à l'est quelles que soient les latitudes et les longitudes nord ou sud. À cause de l'obliquité de l'écliptique (23 1/2°) certains signes de l'écliptique se trouvent au nord, d'autres au sud, et cette inclinaison fait que certains signes montent plus vite que d'autres. Les signes qui se lèvent rapidement (ascension courte) dans un hémisphère se lèveront lentement (ascension lente) dans l'autre. Par conséquent, par rapport à l'écliptique, l'horizon tel que vu de l'hémisphère sud indiquera des phénomènes inverses de ceux vus de l'hémisphère nord. Ainsi, la mesure en degré d'un signe s'élevant au-dessus de l'horizon de l'hémisphère nord ne sera pas la même si on l'observe de l'hémisphère sud. Le Bélier, par exemple, se lève dans un hémisphère de la même façon que la Balance se lève dans l'hémisphère opposé. Le Milieu-du-Ciel n'en est cependant pas affecté et les valeurs numériques restent les mêmes.

La façon la plus facile de comprendre l'établissement d'un thème de latitude sud est d'effectuer les calculs en se souvenant que nos tables de référence (tables des Maisons) sont établies pour les latitudes nord et que nous devons corriger l'heure sidérale locale.

Calcul d'un thème pour les latitudes sud. Exemple Nº 1.
22 h 00, heure légale, le 6 janvier 1980 à Melbourne
(lat. 37° 50' sud, long. 145° 00' est).

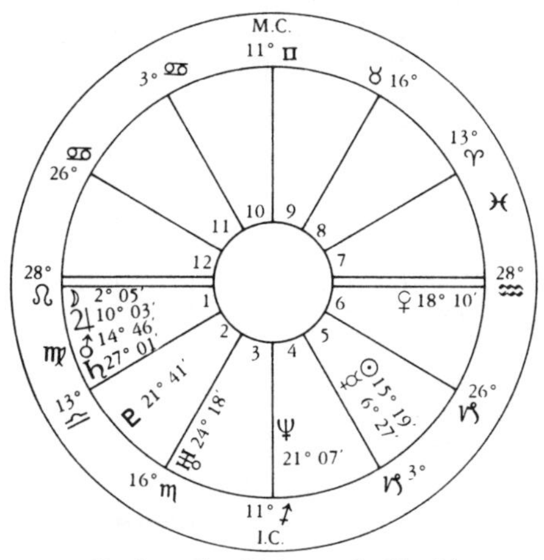

Système des Maisons de Placide

Planete	Symbole	Signe	Maison
Soleil	☉	Capricorne	5
Lune	☽	Vierge	1
Mercure	☿	Capricorne	5
Vénus	♀	Verseau	6
Mars	♂	Vierge	1
Jupiter	♃	Vierge	1
Saturne	♄	Vierge	1
Uranus	♅	Scorpion	3
Neptune	♆	Sagittaire	4
Pluton	♇	Balance	2

Latitude sud

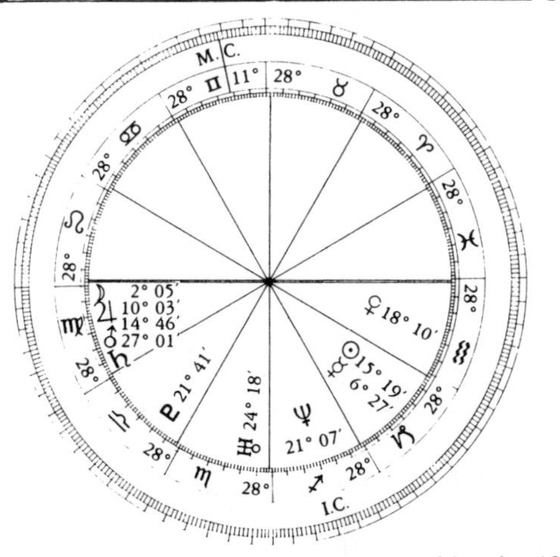

Système d'égalité des Maisons: 22 h 00, heure légale, le 6 janvier 1980 à Melbourne (lat. 37° 50' sud, long. 145° est).

Calcul de l'heure sidérale locale

Formulaire «A» Feuille de travail			J	M	A	
Date de naissance			6	1	1980	
Lieu de naissance			Melbourne			
Latitude	N̸	S	3750	-	-	
Longitude	E	O̸	14500	-	-	
			h	m	s	
Heure de naissance (matin)						
(après-midi)			10	-	-	*Date de Greenwich*
Heure légale	E	—	10	-	-	J M A
	O	+	-	-	-	6 1 80
Heure d'été		—	-	-	-	*Intervalle (Différence avec H.G.)*
H.G. à la naissance (matin)			midi	-	-	h m s
(après-midi)						retard - - -
Date de Greenwich 6-1-80						avance - - -
Heure sidérale						
Lorsque H.G. = midi			19	00	56	*Calcul de la constante:*
Intervalle:						
retard (matin)		—	-	-	-	*INTERVALLE*
avance (après-midi)		+	-	-	-	÷ 24
			19	00	56	-
Correction (9,6 s/h)						
(matin)		—	-	-	-	*Log de l'intervalle*
(après-midi)		+	-	-	-	-
Heure sidérale de naissance à Greenwich			19	00	56	
Équiv. de long.	E	+	9	40	00	
	O	—	-	-	-	
			4	40	56	
Correction de long.						
	E	—	-	1	35	
	O	+	-	-	-	
Heure sidérale locale à la naissance			4	39	21	
Ajouter 12 h pour les latitudes sud			12	-	-	
			16	39	21	
D'après les tables des Maisons			Asc. 28 ♌		M.C. 11 ♊	

On peut résumer le procédé ainsi:

1) trouver l'heure sidérale locale de la naissance;
2) ajouter ou soustraire douze heures à l'heure trouvée en 1);
3) chercher l'heure sidérale trouvée en 2) dans la table des Maisons pour les latitudes nord (51° 32' sud devra être cherché dans la table de Londres);
4) prendre la mesure en degrés trouvée, mais inverser le signe (si Lion est le 1er cuspide, prendre Verseau);
5) inscrire les signes et les planètes dans le diagramme exactement comme pour une naissance dans l'hémisphère nord. Ne pas inverser les positions des planètes; les planètes ne changent pas de signe; elles sont partout les mêmes.

Calcul de thème pour une naissance de latitude sud

Exemple no 1

Données de naissance: 22 h 00 heure légale, le 6 janv. 1980 à Melbourne (37° 50' sud, longitude 145° est)

		h	min	sec	
Heure de naissance		10	00	00	(on suppose que ce n'est pas l'heure d'été)
Heure normale de l'est	–	10	00	00	
Heure de Greenwich	(à midi)	12	00	00	
Heure légale de Gr.		19	00	56	
Intervalle:		–	–	–	
Correction de temps moyen en temps sidéral:		–	–	–	
Équiv. de long. $\frac{145}{15}$	+ est	9	40	00	
Heure sid. locale:		28	40	56	

correction de 12 h pour lat. sud:	–	12	00	00
		16	40	56
Corr. de long.	–		1	35
Heure sid. locale		16	39	21

Quand on a effectué la correction de 12 heures, on se reporte aux tables pour la latitude 37° 50′ nord (ou le plus proche degré) et l'on en déduit le degré et les signes pour l'heure sidérale de 16 h 39′ 21″. Ceci donne 28° du Verseau pour l'ascendant et le Milieu-du-Ciel est à 11° du Sagittaire. Il faut inverser ces données et l'ascendant est à 28° en Lion et le Milieu-du-Ciel à 11° en Gémeaux. Il en sera de même pour les autres cuspides.

Si nous n'avions pas inversé les signes, nous aurions le signe dans lequel se trouve le Soleil, c'est-à-dire Capricorne, sur la 11e cuspide tard le soir, ce qui serait évidemment faux. Le Soleil se trouve entre le descendant et le méridien inférieur à cette heure du jour; par conséquent, le signe dans lequel se trouve le Soleil doit être aussi en dessous de l'horizon. Le diagramme suivant montre les signes dans les cuspides et les planètes dans leurs positions exactes à l'heure de la naissance. Les positions des planètes sont calculées en heure de Greenwich qui, dans ce cas particulier était à midi (H.G.), de telle sorte qu'il n'y avait pas de calcul à faire; il suffisait de trouver les positions dans l'éphéméride à midi, le 6 janvier.

Formulaire "B" **FEUILLE DE TRAVAIL**

Calcul de la longitude des planètes à 14 h 15 (H.G.)
le 27 janvier 1980
(= 2 h 15 du matin, heure légale, à Hamilton
en Nouvelle-Zélande, le 28 janvier 1980)

Log

Planète	☉	☽	☿	♀	♂
Déplacement en 24 heures	° ′ 1 01	° ′ 13 02	° ′ 1 45	° ′ 1 12	° ′ 0 09

Log du déplacement	1.3730	0.2652	1.1372	1.3010	2.2041
+ Log de l'intervalle	1.0280	1.0280	1.0280	1.0280	1.0280
= Log du déplacement cherché	2.4010	1.2932	2.1652	2.3290	3.2321
= Degrés et minutes	0 06	1 13	0 10	0 07	0 01
Position à midi Signe	♒	♊	♒	♓	♍
Longitude	6 42	13 10	10 55	13 49	14 31
Déplacement dans l'intervalle matin — *					℞
(° ') (après-midi) + *	0 06	1 13	0 10	0 07	0 01
= Position de la planète	6 48	14 23	11 05	13 56	14 30

* *Inverser si la planète est en régression*

Formulaire «B» **FEUILLE DE TRAVAIL**

Calcul de la longitude des planètes à 14 h 15 (H.G.)
le 27 janvier 1980
(2 h 15 du matin, heure légale, à Hamilton en Nouvelle-Zélande, le 28 janvier 1980)

Calculatrice

Calculatrice: Constante X déplacement quotidien = déplacement cherché	☉ ° '	☽ ° '	☿ ° '	♀ ° '	♂ °
	0 06	1 13	0 10	0 07	0 01
Position à midi Signe	♒	♊	♒	♓	♍
Longitude	6 42	13 10	10 55	13 49	14 31
Déplacement cherché (matin) —* *(° ')* (après-midi) +*	0 06	1 13	0 10	0 07	0 01
Position des planètes	6 48	14 23	11 05	13 56	14 30

* *Inverser si le mouvement de la planète est rétrograde*

Position des planètes

♈	♉	♊	♋	♌	♍	♎	♏	♐	♑	♒	♓
		☽ 14° 23'			♃ 8° 39'	♇ 21° 46'	♅ 25° 05'	♆ 21° 48'		☉ 6° 48'	♀ 13° 56'
					♂ 14° 30'					☿ 11° 05'	
					♄ 26° 38'						

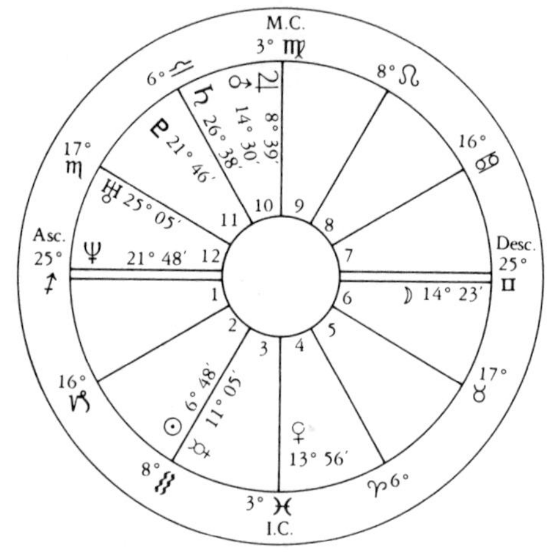

2 h 15 du matin, heure légale, le 28 janvier 1980 à Hamilton, Waipa, en Nouvelle-Zélande (latitude 37° 48' sud, longitude 175° 17' est)

(Voir feuille de travail)

Planète	Symbole	Signe	Maison
Soleil	☉	Verseau	2
Lune	☽	Gémaux	6
Mercure	☿	Verseau	3
Vénus	♀	Poissons	4
Mars	♂	Vierge	10
Jupiter	♃	Vierge	10
Saturne	♄	Vierge	10
Uranus	♅	Scorpion	12
Neptune	♆	Sagittaire	12
Pluton	♇	Balance	11

Calcul de l'heure sidérale locale

Formulaire «A» Feuille de travail			J	M	A	
Date de naissance			28	1	1980	
Lieu de naissance			Hamilton, Waipa, N.Z.			
Latitude	N̸	S	3748	-	-	
Longitude	E	O̸	17517	-	-	
			h	m	s	
Heure de naissance (matin)			2	15	-	*Date de Greenwich*
(après-midi)			-	-	-	
Heure légale	E	—	12	-	-	J M A
	O	+	-	-	-	27 1 80
Heure d'été		—	-	-	-	*Intervalle (Différence avec H.G.)*
H.G. à la naissance (matin)						
(après-midi)			2	15	-	
Date de Greenwich 27.1.80						

	h	m	s
retard	-	-	-
avance	2	15	-

Heure sidérale						
Lorsque H.G. = midi			20	23	44	*Calcul de la constante:*
Intervalle:						*INTERVALLE*
retard (matin)		—	-	-	-	÷ 24
avance (après-midi)		+	2	15	-	= 0,09375
			22	38	44	
Correction (9,6 s/h)						
(matin)		—	-	-	-	*Log de l'intevalle*
(après-midi)		+	-	-	22	= 1,0280

Heure sidérale de naissance à Greenwich			22	39	06
Équiv. de long.	E	+	11	41	08
	O	—	-	-	-
			10	20	14
Correction de long.	E	—	-	1	55
	O	+	-	-	-
Heure sidérale locale à la naissance			10	18	19
Ajouter 12 h pour les latitudes sud			12	-	-
			22	18	19
D'après les tables des Maisons			Asc. 25 ♐	M.C. 3 ♍	

Latitudes sud

Thème pour la Nouvelle-Zélande: 2 h 15 du matin, heure légale, le 28 janvier 1980 à Hamilton, Waipa, N.Z.

L'heure légale de la Nouvelle-Zélande est de 12 heures en avance sur celle de Greenwich et, en présumant que l'heure d'été n'était pas en vigueur (c'est l'été en janvier au sud de l'équateur) l'heure correspondante à Greenwich indiquera 12 heures de moins, soit 14 h 15 le 27 janvier. C'est l'heure à laquelle les positions des planètes sont calculées dans les *Raphael's Ephemeris* qui est basé sur l'heure de Greenwich. Les feuilles de travail montrent comment les positions des planètes sont déterminées à cette heure précise.

Comme la naissance a eu lieu tôt le matin en Nouvelle-Zélande, le Soleil devait se trouver au-dessous de l'horizon et entre le méridien inférieur et l'ascendant à ce moment-là. À cette latitude et à cette époque de l'année, le Soleil se lève vers 5 h (p. 40 des *Raphel's Ephemeris*); nous savons donc que la position du Soleil sur le diagramme est relativement exacte. Si nous la calculions pour 5 h du matin, nous trouverions "Verseau ascendant" puisque c'est le signe dans lequel se trouve le Soleil.

L'heure sidérale locale de naissance (voir les feuilles de travail) s'obtient en prenant l'heure sidérale à midi à Greenwich le 27 janvier, en ajoutant l'intervalle H.G. (2 h 15 min après midi) plus la correction d'heure moyenne en heure sidérale, ce qui donne l'heure sidérale de naissance à Greenwich. Comme la Nouvelle-Zélande se trouve à l'est de Greenwich — dans ce cas à 175° 17′ de longitude est —, nous convertissons cette longitude en mesure de temps (15° par heure), ce qui donne 11 h 41 min 8 sec, et puisque nous nous occupons d'une localité de longitude est, nous *additionnons* l'équivalent de longitude et obtenons l'heure sidérale locale de naissance. La correction de longitude (1′55″) est mentionnée dans la solution, mais si les données de naissance ne sont pas très précises, on peut en faire fi.

À l'heure sidérale locale de naissance, on ajoute 12 heures, puisqu'il s'agit de latitude sud, et nous extrayons de la table des Maisons la plus proche les degrés et minutes tels qu'indiqués (37° 58′ nord), mais en inversant les signes. Pour ce thème, nous avons l'heure sidérale locale de 18 h 18′ 19″ à laquelle nous ajoutons 12 h, soit 22 h 18′ 19″.

Dans les tables des Maisons, on trouve à 22 h 19′ 48″ (soit l'heure sidérale la plus proche) que l'ascendant est à 25° en Gémeaux et le Milieu-du-Ciel à 3° dans les Poissons. Nous savons que ce ne peut être exact pour une naissance à 2 h 15 du matin car le Soleil se trouverait alors dans la 9e maison. En inversant les signes qui sont indiqués pour l'heure sidérale de 22 h 19′ 48″, nous trouvons que l'ascendant est à 25° en Sagittaire et le Milieu-du-Ciel à 3° dans la Vierge, ce qui nous donne les mesures angulaires correctes pour le lieu et l'heure.

Utilisation d'une calculatrice pour trouver la position des planètes

L'introduction de la calculatrice électronique a grandement simplifié les différents types de calculs astrologiques, diminuant le temps et l'effort nécessaires pour faire les thèmes. Pour ceux qui ne font des thèmes qu'à l'occasion, les logarithmes proportionnels donnés dans l'éphéméride seront très suffisants pour les calculs à effectuer, mais lorsqu'on en a beaucoup à faire, et très souvent, la calculatrice devient un outil indispensable.

On peut s'en procurer de toutes sortes, mais pour les calculs astrologiques, il faut prendre celles qui ont une fonction sexagésimale. Il y a peu d'intérêt à acheter un instrument onéreux avec toutes les fonctions scientifiques à moins qu'on ne les utilise toutes. Mieux vaut, de loin, acquérir un instrument qui fera ce qu'on attend de lui, ce qui, pour les thèmes de naissance, se résume à de simples proportions et conversions. L'arithmétique astrologique est très élémentaire et ce n'est que lorsqu'on se lance dans des programmes de recherches qui impliquent des facteurs astronomiques que les évaluations deviennent un peu plus complexes.

Pour calculer les positions planétaires à une heure donnée, on peut économiser beaucoup de temps et d'effort en convertissant d'abord l'intervalle de temps compris entre l'heure de la naissance et midi en nombre décimal (24 heures par journée). Cette décimale sera constante pour cet intervalle et, en multipliant le déplacement quotidien de la planète par cette constante, on obtiendra le déplacement pour cet intervalle. Ce déplacement, ajouté à la position de la planète à midi ou retranché de celle-ci selon le cas, donnera la position à l'heure donnée (voir les tables des heures et des minutes exprimées en décimales).

Exemple no 1

En utilisant la calculatrice, trouver la position du Soleil à 15 h 17 (H.G.) le 2 janvier 1980.

SOLUTION

Déplacement du Soleil le 2 janvier $1° \ 1' \ 8''$

en décimales $= 1{,}0188$

3 h 17 de l'après-midi en décimales $= 3{,}2833 \div 24$

$= \underline{0{,}1368} =$ constante

D'où $1{,}0188 \times 0{,}1368$

$= 0{,}13937 = 8' \ 22'' =$ déplacement du Soleil en 3 h 17 min, ce qui, ajouté à la position à midi le 2 janvier donne

	11°	14′	33″ dans le Capricorne
+	0°	8′	22″
	11°	22′	55″ dans le Capricorne

= position du Soleil à 15 h 17 (H.G.)

Exemple no 2

Trouver la position du Soleil à 7 h 21 du matin (H.G.) le 2 janvier 1980.

SOLUTION

7 h 21 =

12 h 00 − 7 h 21 = 4 h 39 avant midi: $\frac{4\text{ h }39}{24}$

$= \frac{4{,}65}{24} = 0{,}1937$

Déplacement du Soleil le 1er janvier:

1° 1′ 8″ = 1,0188 × 0,1937 = 0,1974 = 11′ 51″, ce qui, déduit de la position à midi le 2 janvier donne

	11°	14′	33″	
−		11′	51″	
	11°	2′	42″	dans le Capricorne

= position du Soleil à 7 h 21 du matin (H.G.).

Exemple no 3

Trouver la position de la Lune à 21 h 19 (H.G.) le 1er janvier 1980

SOLUTION

21 h 19 = 9 h 19 après midi ÷ 12 = $\frac{9{,}3166}{12}$

= 0,77638 (divisé par 12 puisque nous opérons de midi à minuit)

Déplacement de la Lune de midi à minuit le 1er janvier =

Position à minuit du 1er au 2 janvier	6°	14′	44″	en Cancer
à midi	29°	43′	43″	en Gémeaux
Déplacement en 12 heures:	6°	31′	01″	

6 h 31′ 01″ = 6,5169 × 0,77638 = 5,0596 = 5° 3′ 35″

ce qui, ajouté à la position à midi donne

29°	43′	43″	
5°	3′	35″	
4°	47′	18″	en Cancer

= position de la Lune à 21h 19 (H.G.) le 1er janvier 1980

Exemple no 4

Trouver la position de Mercure, Vénus, Mars et Jupiter à 21 h 19 (H.G.) le 1er janvier.

SOLUTION

21 h 19 = 9 h 19 ÷ 24 = 0,3882 = constante

Mercure	Déplacement en un jour	Décimales
	1° 32′	1,5333
		× constante 0,3882

= 0,5952 = 35′ 43″

ajouté à la position à midi	28° 43′	en Sagittaire
	36′	plus proche
	29° 19′	en Sagittaire

= position de *Mercure* à 21 h 19 le 1er janvier

Vénus

Constante	h	min
	9	19 = 0,3882

	Déplacement en un jour	Décimales
Vénus	1° 14′	1,2333
		× 0,3882

= 0,4788 = 28′ 44″

ajouté à la position à midi	12° 01′	en Verseau
	29′	plus proche
	12° 30′	en Verseau

= position de *Vénus* à 21 h 19 le 1er janvier

Mars	Déplacement en un jour	Décimales
	0° 10′	0,1666
		× 0,3882

= 0,0647 = 3′ 53″

ajouté à la position de midi	14° 03′	dans la Vierge
	04′	plus proche
	14° 07′	dans la Vierge

= position de *Mars* à 21 h 19 le 1er janvier

Jupiter

Cette planète se meut tellement lentement que sa position peut être prise telle que donnée dans les tables.

Exemple no 5

Calculer la position du Soleil et de la Lune (en utilisant une calculatrice) pour 19 h 15 (H.G.) le 6 janvier 1980.

SOLUTION

$7 \text{ h } 15 = \frac{7{,}25}{24} = 0{,}30208$ = constante

Déplacement du Soleil le 6 janvier = 61′ (oublier les sec)
D'où: 61 × 0,30208 = 18,42688 = 18′ 26″ (le plus proche), ce qui, ajouté à la position du Soleil à midi, donne

	15° 19′	en Capricorne
	18′	
Position du *Soleil* à 19 h 15	15° 37′	en Capricorne

Déplacement de la Lune le 6 janvier = 11° 52′ = 11,8666

D'où 11,8666 × 0, 30208 = 3,5847 = 3° 35′ ce qui, ajouté à la position de la Lune à midi, donne:

	2°	5′ dans la Vierge
	3°	35′
Position de la *Lune* à 19 h 15	5°	40′ dans la Vierge

Le déplacement en un jour multiplié par la constante (intervalle de temps) donne le déplacement pendant cet intervalle; pour convertir le résultat en minutes et secondes, il faut le multiplier par 60.

Exemple:

0,42688′ × 60 = 25,61 (= 26″ approx.)
0,5847° × 60 = 35,08 (= 35′ approx.)

Calcul de la position exacte de l'ascendant et du Milieu-du-Ciel

Introduction

Lorsque l'heure de naissance est donnée à un quart d'heure près, il est trompeur et inexact de prendre l'ascendant et le Milieu-du-Ciel en degrés et en *minutes* tels que donnés dans la table des Maisons. Dans tous les cas où il y a incertitude quant à l'heure de la naissance, il suffit de prendre le degré uniquement et d'ignorer les minutes. Cependant, quand les données sont précises, le thème doit être calculé avec exactitude et pour la latitude à la seconde près si possible. Lorsque des erreurs ou des inexactitudes s'introduisent dans le calcul des angles et des degrés, il s'ensuit que les prévisions seront faussées. Afin de déterminer le degré exact d'ascendance et de culmination, il existe plusieurs méthodes dont nous donnerons des exemples ci-dessous.

Pour trouver les degrés et les minutes avec exactitude, on utilise l'interpolation à l'aide des tables de logarithmes proportionnels ou d'une calculatrice.

On peut résumer le processus comme suit:

1. Le *Milieu-du-Ciel*. Les degrés et minutes de culmination sont les mêmes pour toutes les latitudes à une heure sidérale donnée. Il n'est pas affecté par la latitude comme l'est l'ascendant. Quand on a trouvé le Milieu-du-Ciel avec précision pour l'heure sidérale de naissance, aucun autre calcul n'est nécessaire, même si nous devons interpoler entre différentes latitudes, c'est-à-dire trouver le Milieu-du-Ciel exact pour une latitude qui n'est pas inscrite dans la table des Maisons.
2. *L'ascendant*. Pour trouver l'ascendant avec précision pour une latitude non inscrite dans les tables, on prend les deux latitudes les plus proches de celle donnée et l'on calcule la plus grande et la plus petite heure sidérale de l'heure sidérale de naissance pour ces deux latitudes. Les exemples, avec les calculs appropriés, rendront ce point plus clair.
3. Quand on a trouvé l'ascendant exact pour la plus grande et la plus petite latitude la plus proche de celle de la naissance, on interpole pour trouver l'ascendant exact pour la latitude donnée.

Quand on utilise les tables de logarithmes pour effectuer ces calculs, on transpose les heures et minutes en *minutes et secondes*.

Calculs

Pour le Milieu-du-Ciel, on peut indifféremment prendre l'heure sidérale et utiliser les logarithmes, ou bien prendre la table d'ascension droite, puisque heure sidérale et ascension droite sont synonymes.

Exemple no 1

Trouver les degrés et minutes du Milieu-du-Ciel pour l'heure sidérale de 3 h 16′ 00″ à Londres.

SOLUTION — MÉTHODE I

	h	min	sec		°	
Table d'ascension droite	3	16	00	=	49	00
D'après la table 49° =					21	26 en Taureau

Ce qui est la culmination précise à cette heure sidérale. C'est là la façon la plus simple de trouver le Mlieu-du-Ciel.

MÉTHODE II

D'après les tables pour Londres

	(1) H.N.			(2) Asc.		(3) M.C.	(4) H.N.		
	h	min	sec	°	′	°	h	min	sec
Le plus grand	3	18	19	1	36♍	22♉			
Cherché							3	16	00
Le plus petit	3	14	15	0	54	21	3	14	15
Différence		4	04	0	42	1		1	45

Log proportionnels

Col.		min	sec		Log
4	1.45 =	1	45	=	1,1372
2	0.42 =	42	00	= +	1,5351
					2,6723
1	4.04 =	4	04	= −	0,7710
		18	00	=	1,9013

L'ascendant le plus petit est à 0° 54′ dans la Vierge; nous lui ajoutons 18′ tel que trouvé plus haut, ce qui donne 1° 12′ dans la Vierge, qui est la position exacte de l'ascendant à 3 h 16′ heure sidérale de Londres.

MÉTHODE III

En utilisant une calculatrice, vérifier qu'à 3 h 16′ heure sidérale de Londres, l'ascendant est à 1° 12′ dans la Vierge.

SOLUTION

Si l'on prend les heures sidérales les plus rapprochées de part et d'autre de celle donnée, on obtient:
1 h 36′ − 54′ = 42′ et la différence entre l'heure sidérale donnée (3 h 16′ 00″) et la plus proche (3 h 14′ 15″) est de 1′ 45″, d'où

$$1' 45'' = \frac{1,75 \times 42}{4,066} = 18'$$

ce qui vérifie les calculs effectués avec les tables de logarithmes.

MC

Le Milieu-du-Ciel est à 21° 26′ du Taureau d'après les tables d'ascension droite. Vérifier en utilisant les logs.

SOLUTION

	min	sec		Log
Différence (H.N.)	1	45	=	1,1372
(1°)	60	00	=	+ 1,3802
				2,5174
	4	04	=	− 0,7710
	26	00	=	1,7464

ce qui vérifie les calculs effectués par les logarithmes et le résultat trouvé dans la table d'ascension droite.

En général, il n'est pas nécessaire de calculer les angles avec précision, à moins que l'heure de naissance ne soit précise; par conséquent, ces méthodes ne sont données qu'au cas où il serait nécessaire de les utiliser.

Exemple no 2

Trouver l'ascendant et le Milieu-du-Ciel pour 7 h 54′ 10″, heure sidérale de Londres.

Calculatrice	h	min	sec
D'après les tables de Londres			
Plus grand asc. à 20° 27′ de la Balance	7	56	12
Plus petit asc. à 19° 43′ de la Balance	7	52	00
Différence: 0° 44′		4	12
Ascendant cherché	7	54	10
Plus petit ascendant	7	52	00
Différence		2	10

Donc, si 4′ 12″ = 44′ au-dessus de l'ascendant 2′ 10″

$$= \frac{2,166 \times 44}{4,2}$$

= 23′ au plus près ce qui, ajouté au plus petit asc. de 19° 43′ dans la Balance = 20° 6′ = ascendant exact.

Tables de logarithmes

min	sec		Log
2	10	=	1,0444
44	00	=	+ 1,5149
			2,5593
4	12	=	− 0,7570
23	00	=	1,8023

ce qui confirme le résultat trouvé par les calculs.

Trouver le Milieu-du-Ciel à partir de la table d'ascension droite

Convertir l'heure sidérale requise en asc. droite (15° en 1 heure)

7 × 15 =	105°	0′	0″
54′ ÷ 4 =	13°	30′	00″
10″ ÷ 4 =	0°	2′	30″
	118°	32′	30″

D'après les tables d'ascension droite

	118° 00′	=	26° 00′	en Cancer
	119° 00′	=	26° 57′	en Cancer
Différence		=	0° 57′	

Si 60′ = 57

$32{,}5' = \frac{32{,}5 \times 57}{60} = 31'$ ce qui, ajouté au Milieu-du-Ciel (heure sidérale 7 h 52′ 00″) situé à 26° dans le Cancer donne 26° 32′ du Cancer, qui est la position du Milieu-du-Ciel à l'heure sidérale de 7 h 54′ 10″.

Calculs

$2'\,10'' = 2{,}166 \times 60' \div 4'\,12'' = \frac{2{,}166 \times 60}{4{,}2}$

= 30′ 56″ = 31′ en arrondissant, ce qui vérifie les calculs précédents utilisant la table d'ascension droite.

Logs	min	sec		Log
Différence en temps sid.	2	10	=	1,0444
	60	00	=	+ 1,3802
				2,4246
	4	12	=	− 0,7570
	31	00	=	1,6676

En utilisant deux au moins de ces méthodes au cours des calculs, les risques d'erreur sont diminués. Dans l'exemple no 2, nous avons trouvé l'ascendant à 20° 6′ de la Balance (il fallait ajouter 23′ à l'ascendant le plus petit trouvé dans la table des Maisons, et qui était à 19° 43′ dans la Balance). Pour ultime vérification, on peut dire que si 44′ (qui est la différence entre les ascendants) donne 60′ au-dessus du Milieu-du-Ciel, alors 23′ représente $\frac{23 \times 60}{44} = 31'$, ce qui vérifie tous les calculs précédents.

Calcul précis de l'ascendant pour une latitude terrestre non listée dans les tables des Maisons

Introduction

En général, il est suffisant d'utiliser les tables des Maisons pour les localités qui se trouvent plus ou moins près des latitudes données dans les registres. Les tables de Londres, par exemple, peuvent être utilisées pour les localités situées entre les latitudes de 50° et de 53° nord; mais si les données de naissance sont précises, ces angles doivent être calculés exactement. S'il n'y a pas de table correspondant exactement à la latitude donnée, il faut alors interpoler pour trouver l'ascendant et le Milieu-du-Ciel avec précision. Les exemples suivants vous montreront comment:

Exemple no 1

Trouver l'ascendant et le Milieu-du-Ciel à 54° 20′ de latitude nord si l'heure sidérale de naissance est 4 h 12′ 13″.

SOLUTION

	(1) Lat.	(2) Asc.		(3) Lat.
Le (la) plus grand(e)	54° 34′	11° 47′	dans la Vierge	— —
Cherché (e)	— —	— —		54° 20′
Le (la) plus petit(e)	53° 58′	11° 38′	dans la Vierge	53° 58′
Différence	0° 36′	0° 09′		0° 22′

En utilisant les logs

		Log
Colonne 3	22′	1,8159

Colonne 2	09′	+ 2,2041
		4,0200
Colonne 1	36′	−1,6021
Résultat à 5′ près		2,4179

Au plus petit ascendant de 11° 38′, ajouter 5′ = 11° 43′ de la Vierge = Ascendant exact à 54° 20′ nord

Par le calcul
Si 36′ est la différence entre la plus grande et la plus petite latitude, 22′ sera égal à

$\frac{22 \times 9}{36}$ (différence au-dessus de l'ascendant)
= 5,5′ = 5′ approx.

Le Milieu-du-Ciel est le même pour toutes les latitudes à une heure sidérale donnée; l'heure sidérale de 4 h 12′ 13″ nous donnera le MC comme suit:

D'après la table d'asc. dr.	4 12	00 = 4° 57′	dans les Gémeaux
	4 16	00 = 5° 54′	
Différence	4	00 = 0° 57′	

Si 4′ = 57′, 13″ =

$\frac{57 \times 0{,}216}{4}$ = 3′ qui, ajouté au plus petit Milieu-du-Ciel

4° 57′ des Gémeaux = 5° 00′ des Gémeaux = Milieu-du-Ciel cherché

Exemple no 2

Trouver l'ascendant et le Milieu-du-Ciel à 54° 10′ de latitude nord à 4 h 12′ 13″, heure sidérale.

SOLUTION

	(1)	(2)	(3)	(4)
	Lat.	Asc.	MC	Lat.
Le (la) plus grand(e) trouvé(e)	54° 20′	11° 43′	5°	
Cherché(e)				54° 10′
Le (la) plus petit(e)	53° 58′	11° 38′	5°	53° 58′
Différence	0° 22′	0° 05′	—	0° 12′

Si 22′ = 5′ au-dessus de l'ascendant, 12′ de différence de latitude = $\frac{12 \times 5}{22}$ = 3′ au plus près, ce qui, ajouté à l'ascendant le plus petit = 11° 41′ dans la Vierge = ascendant exact à 54° 10′ de latitude nord.

Le Milieu-du-Ciel est le même à toutes les latitudes à une heure sidérale donnée; il est donc ici à 5° dans les Gémeaux.

Chapitre 10

CLASSIFICATION DES DIFFÉRENTS FACTEURS

Les aspects astrologiques

Définition des aspects

Un aspect est la distance entre deux planètes, mesurée en longitude le long de l'écliptique. Si, par exemple, le Soleil est à 10° en Scorpion et Saturne à 10° en Taureau, la distance entre elles est de 180°, et l'on dit qu'elles sont en opposition.

Classification

Les aspects sont classés en deux grandes catégories, majeures et mineures, bien que les études modernes tendent à confirmer que beaucoup de ceux que l'on appelle mineurs sont plus importants qu'on ne le pensait auparavant.

Aspects majeurs	*Symboles*	*Distance en °*
Conjonction	☌	0
Semi-carré	∠	45
Sextile	✱	60
Quadrature ou carré	□	90
Trine	△	120
Opposition	☍	180

Aspects mineurs		
Semi-sextile	⚺	30
Semi-quintile	⊥	36
Quintile	Q	72
Sesqui-carré	⚼	135
Biquintile	±	144
Quinconce	⚻	150

Nature des aspects

Traditionnellement, les aspects ont été perçus comme "bons" ou "mauvais", mais cette classification désuète a été remplacée par "harmoniques" ou "dissonants", ce qui revient à jouer sur les mots. Si deux planètes présentent un aspect, c'est la nature des planètes qui déterminera la façon dont l'aspect agira. Il est cependant plus rare d'observer que Mars est en carré avec Saturne que d'observer la Lune, par exemple, en carré avec Vénus. De toute manière, tous les aspects doivent être analysés par rapport à l'ensemble du thème: on ne peut pas formuler de jugement à partir d'un seul.

Parmi les aspects majeurs, la conjonction est probablement la plus puissante et ses effets dépendent des deux corps célestes impliqués. Le carré (90°) et l'opposition (180°) sont jugés difficiles et sont causes de tensions, tandis que le sextile (60°) et le trine (120°) expriment la détente et engendrent la facilité d'expression sous toutes ses formes. Mais, là encore, les planètes qui constituent ces aspects détermineront les effets de leur contact, aussi bien au point de vue physique que psychologique.

Bien que le carré et l'opposition puissent causer des tensions, ils peuvent aussi apporter la force, l'initiative et la capacité de faire face aux problèmes. De même, beaucoup trop d'aspects sont dits "bons", comme le trine et le sextile, alors qu'ils peuvent entraîner l'indolence et l'acceptation placide des situations. Des aspects mineurs, le quinconce est probablement le plus important et est souvent révélateur de quelque forme de stress. Le thème "idéal" est un mélange d'aspects harmoniques et dissonants et la position des planètes dans le signe et la Maison indiquera si le thème est bien intégré.

Les planètes qui ne forment pas d'aspects, et cela se produit à l'occasion, sont souvent considérées comme signe de "mutisme", mais ce n'est pas nécessairement vrai. Cela dépend du signe et de la Maison dans lesquels se trouve la planète. Un manque de contact peut amener la planète à agir dans son sens le plus pur, activement ou passivement.

Les aspects constituent l'un des facteurs les plus importants d'un thème, et c'est à partir de l'étude des aspects ou, ce qui est tout aussi important, du manque d'aspects, que la personnalité d'un individu peut être définie. Les aspects aux angles (1er, 10e, 7e et 4e cuspides des Maisons) indiquent généralement une prédominance dans un sens ou un autre et les personnes qui les ont ne passent généralement pas leur vie dans l'obscurité.

Les orbes des aspects

Dans les éphémérides, les aspects sont indiqués lorsque les contacts sont exacts, mais quand on indique un certain nombre d'aspects dans un thème, on alloue un certain écart, plus ou moins grand, appelé orbe. Par exemple, une planète est dans l'orbe d'une conjonction ou d'une opposition si elle est exacte à 8° ou 9° près; un carré et un trine le sont à 7° ou 8° près. Pour les aspects mineurs, une très petite orbe est allouée, soit 2° ou 3°. La mesure d'arc allouée varie en fonction de la force de l'aspect et des planètes concernées. Un contact puissant peut avoir une orbe plus grande qu'un aspect plus faible.

Calcul des aspects

Tous les aspects doivent être considérés et entrés dans la table des aspects après que le thème a été calculé. Les formules de thème (voir Ce dont vous aurez besoin) ont cette table des aspects dans laquelle on peut les inscrire. Comme pour les calculs de thème, il faut procéder avec méthode, de crainte d'en oublier. Fondamentalement, nous prenons la distance entre deux planètes et cette distance est un arc de longitude.

Par exemple, dans le thème no 2, le 6 janvier à 19 h 15 à Londres, Vénus est à 18° 32′ en Verseau et Pluton à 21° 41′ en Balance. En comptant de Balance à Verseau (et en omettant les minutes), cela donne 9° de Balance, 30° de Scorpion, 30° de Sagittaire, 30° de Capricorne, plus 18° de Verseau, soit au total 117° ce qui forme une orbe ce 120° (Vénus est par conséquent en trine avec Pluton). Si la distance avait été de 112° ou de 128°, ces deux planètes seraient toujours en trine puisque l'on alloue jusqu'à 7° ou 8° d'imprécision. Avec un peu d'expérience, les aspects peuvent être notés en regardant les signes et leur classification. Cette classification sera discutée dans la section "Autres facteurs de thème".

Le calcul de la mesure des aspects devrait toujours être fait en notant les signes et non pas les Maisons. Avec le système de Placide de la division des Maisons, les signes peuvent être interceptés et une Maison peut contenir deux signes ou plus, ce qui cause des difficultés lorsqu'on veut mesurer la distance entre deux planètes.

Classement des aspects

La table des aspects de la page 179 montre les aspects classés pour le thème de la Nouvelle-Zélande (2 h 15 du matin, heure légale le 28 janvier 1980, Hamilton N.-Z.). L'astrologie a sa propre "sténographie et terminologie", mais la signification des différents symboles et des différents termes n'est pas difficile à comprendre. Avec un peu d'expérience, on peut reconnaître et employer couramment les différentes configurations des planètes, ainsi que l'ascendant et le Milieu-du-Ciel.

PLANÈTE		ASPECTS ☉	☽	☿	♀	♂	♃	♄	♅	♆	♇
Soleil	☉		△	☌	•	•	⚻	•	•	•	•
Lune	☽			△	□	□	□	•	•	☍	△
Mercure	☿				⚺	⚻	⚻	•	•	•	•
Vénus	♀					☍	☍	•	•	□	
Mars	♂						☌	•	•	□	•
Jupiter	♃							•	•	•	•
Saturne	♄								✱	□	•
Uranus	♅									•	•
Neptune	♆				•						✱
Pluton	♇										
Asc.		•	•	•	•	•	•	□	⚺	☌	✱
M.C.		•	•	•	•	•	☌	•	•	•	•

Figure 18. Aspects du thème à 2 h 15 du matin, heure légale, le 28 janvier 1980 en Nouvelle-Zélande.

Dans le thème de Nouvelle-Zélande, les différents aspects (dans leurs orbes) sont:

1. Le Soleil est en trine avec la Lune, en conjonction avec Mercure, en quinconce avec Jupiter. Le Soleil est en trine parce que sa distance par rapport à la Lune est de 128°; il est en conjonction avec Mercure, puisque 4° seulement les séparent; et il est en quinconce avec Jupiter puisqu'il se trouve à 148° de la planète géante. Un trine exact serait de 120°; une conjonction exacte de 0° et un quinconce de 150°. Mais, comme nous l'avons expliqué précédemment, une orbe de degré variable est allouée en fonction du type d'aspect et des planètes concernées.
2. La Lune a plusieurs aspects, en trine avec Mercure et Pluton, en carré avec Vénus, Mars et Jupiter, et en opposition avec Neptune. 123° séparent la Lune de Mercure, ce qui est presque trine; le carré avec Vénus est exact à quelques minutes près, tandis que les carrés avec Mars et Jupiter (exact dans le cas de Mars et à 6° près dans le cas de Jupiter) sont suffisamment proches pour être considérés comme exacts. Le contact de la Lune avec Mars, Jupiter et Vénus forme un T carré qui comprend une ou deux planètes

en opposition et une ou deux planètes à mi-chemin entre les deux. Dans ce cas, la Lune forme un carré avec Vénus, Mars et Jupiter, et Vénus est en opposition avec Mars et Jupiter. Ce contact est donc très puissant.

Planète maîtresse:	♃	Maison du maître:	10
Planète ascendante:	♆	Positif:	5
		Négatif:	5
Ternaire:			
Feu: asc.	1	Signe personnel:	
Terre: M.C.	3	Exaltation:	♀
Air:	4	Détriment:	☉
Eau:	2	Chute:	♃
Quaternaire:			
Cardinal:	1	Angulaire:	4
Fixe:	3	Succédent:	2
Mutable:	6	Cadent:	4
Réception mutuelle:	☿ - ♄		

Figure 19. Classification des autres facteurs pour le thème élaboré pour 2 h 15 du matin, heure légale, le 28 janvier 1980, en Nouvelle-Zélande (lat. 37° 48′ sud, long. 175° 17′ est).

Autres facteurs de thème

Pour la préparation de l'analyse et de l'évaluation d'un thème, on fait une classification de certains facteurs associés aux positions des planètes, ainsi que des signes et des Maisons dans lesquels se trouvent les planètes. Beaucoup de ces classifications sont traditionnelles et, bien que certaines soient confirmées par les études astrologiques modernes, d'autres ne le sont pas. Toutefois, comme l'étudiant verra tôt ou tard les différentes catégories et terminologies utilisées dans les travaux astrologiques sur le regroupement et la division des planètes, des signes et des Maisons, une brève explication de ces facteurs peut s'avérer utile.

Depuis les tout premiers temps, les douze signes du zodiaque ont été divisés en plusieurs catégories:

1. Selon les quatre éléments: Feu, Terre, Air et Eau (ternaire)
2. Cardinal, fixe et mutable (quaternaire ou qualités)
3. Signes positifs et négatifs (masculin et féminin)

Le tableau suivant montre comment on les a classés:

	Positif	Négatif	Positif	Négatif
	Feu	Terre	Air	Eau
Cardinal	Bélier	Capricorne	Balance	Cancer
Fixe	Lion	Taureau	Verseau	Scorpion
Mutable	Sagittaire	Vierge	Gémeaux	Poissons

Le but de ce livre n'est pas de s'occuper de l'analyse et de l'interprétation des thèmes, mais en discutant des divisions traditionnelles des signes, nous pouvons commenter leur "signification".

Les signes positifs sont jugés directs et dirigés vers l'extérieur; les signes négatifs réceptifs et passifs. Ceci est toutefois une très grande généralisation et comme chaque thème est différent selon les regroupements des planètes et la position des Maisons, la signification des signes sera modifiée ou accentuée. Les signes de feu peuvent montrer de l'enthousiasme, de l'initiative, être créateurs (le Lion surtout) et ceux de l'air chercher à communiquer au niveau personnel ou impersonnel, mais une combinaison dissonante d'une planète et d'un signe contribuera à modifier l'interprétation normalement donnée pour un signe ou une planète. Là encore, le thème doit être étudié dans son entier, et on doit en faire une synthèse.

Les Maisons

Les douze Maisons d'un thème sont divisées en trois groupes:

1. Les Maisons 1, 10, 7 et 4 (Maisons cardinales ou angulaires)
2. Les Maisons 2, 11, 8 et 5 (Maisons succédentes)
3. Les Maisons 3, 12, 9 et 6 (Maisons cadentes)

Les Maisons angulaires (ou cardinales) sont les Maisons importantes et les planètes qui s'y trouvent — surtout si elles sont près des angles — exercent un maximum d'influence selon le signe où se trouve la planète et les aspects formés par la ou les planètes. Bien qu'il y ait beaucoup de sottises et d'absurdités dans la littérature astrologique au sujet des planètes, des signes et des Maisons, la plupart des astrologues sont au moins d'accord sur l'importance de l'angularité.

Traditionnellement, les Maisons ont été reliées aux signes, en ce sens que la 1re Maison est reliée au premier signe (Verseau), la 2e Maison au Taureau, la 3e aux Gémeaux, etc. En d'autres mots, les Maisons angulaires correspondent aux signes cardinaux, les succédentes aux signes fixes et les cadentes aux signes mutables. Il semble que ces correspondances soient justifiées et l'expérience montre que, bien qu'une planète agisse selon le signe dans lequel elle se trouve, elle montrera non seulement certaines facettes de la Maison dans laquelle elle se trouve, mais aussi certains attributs reliés au signe naturel de cette Maison.

Par exemple, bien des planètes dans la 9e Maison, disons dans la Balance, montreront une combinaison de caractéristiques de la Balance et du Sagittaire dans le cas d'activités associées traditionnellement à la 9e Maison (découverte physique et mentale), comme l'administration de la justice ou, en termes plus généraux, comme tout ce qui demande un effort de coopération en vue de l'acquisition du savoir et de la compréhension.

Fondamentalement, les trois divisions des Maisons angulaires, succédentes et cadentes représentent les qualités des signes auxquels elles sont naturellement associées.

1. Les Maisons angulaires qui sont adjacentes à l'horizon et au Milieu-du-Ciel (1, 7, 10 et 4) correspondent aux signes cardinaux (Verseau, Balance, Capricorne et Cancer) et les planètes dans ces Maisons agissent souvent non seulement avec les signes dans lesquels elles se trouvent, mais aussi en association avec le signe naturel de ces Maisons. Mars en Verseau est toujours Mars/Verseau mais si elle se trouve dans la 10e Maison, c'est aussi Mars/Verseau/Capricorne et elle symbolisera alors une attitude active et énergique (Mars/Verseau), combinée à une attitude pratique et réaliste — voire prudente — à cause de sa position dans le Capricorne. L'influence et la signification des planètes dans les signes et les Maisons sont évidemment régies par leurs aspects, et le thème doit être étudié dans son entier.

2. Les Maisons succédentes qui sont reliées aux signes fixes (Taureau, Verseau, Scorpion et Lion) et aux planètes dans ces Maisons indiquent souvent les qualités, telles la détermination et la stabilité associées à ces signes. Par exemple, si Mars est dans la 2e Maison, le signe dans lequel la planète se trouve peut apporter à cette dernière l'influence du Taureau, c'est-à-dire un sens aigu des valeurs économiques. Elle sera active et énergique mais toute son action sera canalisée vers l'établissement de bases solides qui seront un gage de sécurité. Les planètes dans la 11e Maison (Maison naturelle du Verseau) sont souvent associées au désir de contribuer au bien-être de l'humanité. Ce souci peut toutefois s'exprimer de façon autocratique et détachée, l'objectif étant alors de faire le plus de bien possible au plus grand nombre. Dans la 11e Maison, le Verseau représente la collectivité, contrairement au Lion dans la 5e qui est associé à l'idée d'individualité et d'implication personnelle. Tous les signes fixes sont intéressés par le pouvoir et les planètes dans les Maisons fixes engendrent souvent un besoin de pouvoir pour une raison ou une autre.

3. Les Maisons cadentes (3, 12, 9 et 6) correspondent aux signes mutables (Gémeaux, Poissons, Sagittaire et Vierge). L'adaptabilité et la flexibilité caractérisent ces signes et leurs Maisons naturelles. Ils symbolisent avant tout la communication à tous les niveaux, l'acquisition et le partage de l'information.

Toutes les Maisons cadentes sont associées à la perception, à l'étude, au raisonnement et à l'intuition. Les planètes dans ces Maisons agissent de façon confuse; si Mars se trouve dans la 3e Maison, il peut être très créatif et très vif d'esprit, mais son énergie peut se disperser si elle n'est pas canalisée de manière constructive.

Le maître

Traditionnellement, chaque signe a un ou, dans certains cas, deux maîtres et ces maîtres ont des affinités avec les signes auxquels ils sont associés. Ce sont les planètes qui remplissent ce rôle selon l'attribution suivante:

Planète	*Signe*	*Maison naturelle*
Soleil	Lion	5
Lune	Cancer	4
Mercure	Gémeaux	3
	Vierge	6
Vénus	Taureau	2
	Balance	7
Mars	Bélier	1
	Scorpion	8
Jupiter	Sagittaire	9
	Poissons	12
Saturne	Capricorne	10
	Verseau	11
Uranus	Verseau	11
Neptune	Poissons	12
Pluton	Scorpion	8

Les planètes modernes, c'est-à-dire celles découvertes récemment (Uranus, Neptune et Pluton sont classées comme co-maîtresses des signes Verseau, Poissons et Scorpion).

La planète maîtresse

L'ascendant est le signe maître et la planète qui régit le signe ascendant est appelée planète maîtresse. Si l'ascendant est en Balance, Vénus sera la planète maîtresse. Aussi bien en astrologie qu'en cosmologie, la position de la planète maîtresse et les aspects qu'elle présente sont des facteurs très importants. La Maison du maître est la Maison dans laquelle se trouve la planète maîtresse et les caractéristiques de cette Maison sont souvent très significatives dans la vie de l'individu. Si l'ascendant est en Gémeaux et que Mercure (la planète maîtresse) se trouve dans la 3e Maison, toutes les activités de la 3e Maison — écrire, enseigner, voyager, etc. — joueront un rôle très important, à un plus ou moins grand degré, selon le signe dans lequel se trouveront Mercure et les différents aspects.

La planète ascendante

Une planète est dite ascendante si elle se trouve à une distance d'environ 8° de l'ascendant, c'est-à-dire dans la conjonction de l'ascendant, à 8° au-dessus ou en dessous. Réciproquement, une planète près du descendant (à 8° environ) est dite ascendante et devient importante lorsqu'elle se rapproche d'un angle de 7°.

Les planètes angulaires

D'après le système de Placide des divisions des Maisons, les planètes dans les 1re, 10e, 7e et 4e Maisons sont dites angulaires, bien que l'angularité réelle corresponde à une conjonction située à 8° près de l'angle réel. Le système de l'égalité des Maisons, qui mesure les Maisons à partir de l'ascendant en segments de 30°, n'utilise pas les termes *Maison succédente* et *Maison cadente*, et les planètes ne sont considérées comme angulaires que si elles se trouvent à 8° près de cet angle. C'est là l'interprétation exacte de l'angularité. Les planètes angulaires sont extrêmement importantes et agissent très puissamment selon les signes dans lesquels elles se trouvent et les aspects qu'elles forment avec les autres planètes.

Maître solaire et maître lunaire

La planète maîtresse du signe qui contient le Soleil ou la Lune est le maître solaire ou le maître lunaire. Si le Soleil est en Scorpion et la Lune en Taureau, Mars et Pluton deviennent maîtres solaires et Vénus devient maîtresse lunaire.

Signe propre

Si une planète se trouve dans son propre signe, par exemple Vénus en Balance, on dit qu'elle est forte; il en est de même si elle se trouve dans un signe qu'elle domine, par exemple Vénus en Taureau. Si la planète est mal située cosmiquement ou si elle manque de force par ses aspects, elle aura peu d'influence même si elle est dans le signe qu'elle domine ou dans son propre signe.

Exaltation, détriment et chute

Les planètes sont en exaltation, en détriment ou en chute si elles sont sous certains signes. C'est une classification traditionnelle et, bien qu'elle puisse avoir quelque fondement réel, rien n'empêche qu'une planète bien positionnée dans le cosmos et aux aspects forts agira toujours avec force.

Planète	*Exaltation* (Puissante)	*Chute* (Faible)	*Détriment* (Faible)
Soleil	Bélier	Balance	Verseau
Lune	Taureau	Scorpion	Capricorne
Mercure	Vierge	Poissons	Sagittaire Poissons
Vénus	Poissons	Vierge	Scorpion Bélier

Mars	Capricorne	Cancer	Balance Taureau
Jupiter	Cancer	Capricorne	Gémeaux Vierge
Saturne	Balance	Bélier	Cancer Lion

Uranus, Neptune et Pluton n'ont pas leur place dans cette classification mais si on en accepte le principe, on peut dire que, en règle générale, Uranus sera en détriment dans le Lion (le signe opposé à celui qu'il domine), Neptune dans la Vierge et Pluton en Taureau. L'exaltation et la chute de ces planètes ne sont pas encore connues étant donné leur découverte relativement récente.

Réception mutuelle

C'est le terme qui s'applique lorsque deux planètes se trouvent chacune dans un signe dominé par l'autre; par exemple, Mercure en Scorpion, Mars dans la Vierge. On pense qu'il y a une action apparentée à celle de la conjonction, mais rien n'est moins sûr.

Groupement de planètes

Lorsque trois planètes ou plus sont groupées dans un intervalle de 8° environ (conjonction), que ce soit dans un signe ou à la fin ou au commencement d'un autre, il y a une forte concentration, et les signes et les Maisons dans lesquels ce groupement se produit revêtiront une grande importance.

La maîtrise

Un autre terme traditionnel qui doit être considéré avec un certain scepticisme. Il s'agit de la planète qui domine un signe contenant une autre planète; par exemple, si Mars est en Lion, la maîtrise est le Soleil; pour Mars en Taureau, ce serait Vénus.

Manque d'aspects

Les planètes qui n'ont pas d'aspects sont tout de même importantes car elles peuvent indiquer l'absence de la qualité associée à cette planète; par exemple, Mars sans aspect indiquerait un manque d'initiative. Elles peuvent aussi agir dans le sens le plus pur et ne pas être affectées par les rapports avec les autres planètes; par exemple, Mars indiquerait alors un tempérament trop actif, irréfléchi et impétueux.

Chapitre 11

GRAPHIQUES AUXILIAIRES

Heure de naissance incertaine

Pour faire un thème précis, il faut une heure de naissance exacte. Cependant, lorsque l'heure de naissance est inconnue ou approximative, il existe plusieurs méthodes que l'on peut employer pour faire le thème, même si les renseignements ainsi obtenus ne seront pas aussi détaillés que ceux d'un thème précis. Différentes méthodes de correction peuvent être utilisées pour essayer d'arriver à une heure de naissance conjecturale, et cette correction consiste à faire une relation entre les événements et les changements rencontrés dans la vie et les progressions planétaires en cours d'opération à une époque particulière de cette vie. On peut avoir une idée de l'heure de naissance à partir des progressions et de leur occurrence.Inutile de dire que le travail nécessaire est considérable et qu'il exigera beaucoup de temps, de travail et une grande expérience des principes astrologiques.

Une manière encore plus simple de procéder en pareil cas consiste à faire des thèmes basés soit sur la position du Soleil à midi le jour de la naissance ou sur le lever du Soleil vrai. Une autre méthode encore consiste à relever les douze signes du zodiaque sur une feuille de thème en commençant par le Bélier et à y inscrire les positions des planètes dans leurs signes respectifs, à midi, le jour de la naissance. Évidemment, cela ne donnera qu'une indication très générale d'une personnalité et aucune déduction ne pourra être faite quant à la position des Maisons, puisqu'elles ne seront pas connues.

Graphique no 1 : diagramme solaire

En admettant que la naissance a eu lieu le 2 janvier à une heure inconnue, nous prenons la position du Soleil à midi (11° en Capricorne) et supposons que c'est le signe ascendant et le degré (11° du Capricorne). En opérant ainsi, nous faisons un thème hypothétique pour le lever du Soleil. Les positions des planètes sont extraites des éphémérides à midi ce jour-là (2 janvier).

Nous pourrions, évidemment, calculer l'heure du lever du Soleil, puis calculer les positions des planètes à cette heure (environ 8 h du matin), mais c'est sans intérêt puisque la différence de déplacement entre 8 h et midi sera légère, sauf pour la Lune. Les positions des maisons des planètes ne sont pas connues puisque l'heure de naissance ne l'est pas, et aucune observation ne peut être faite quant aux positions cosmiques. Si, en fait, la naissance avait eu lieu au lever du Soleil, le thème serait le vrai thème natal avec les positions des planètes calculées pour l'heure de naissance (environ 8 h).

Si l'on veut avoir un aperçu rapide des positions zodiacales, on peut utiliser une formule de thème pour faire un relevé des signes du zodiaque, en commençant par le Bélier, avec les positions des planètes dans chacun des signes. C'est la même idée que pour le diagramme solaire, et les indications que l'on en tirera seront également très générales.

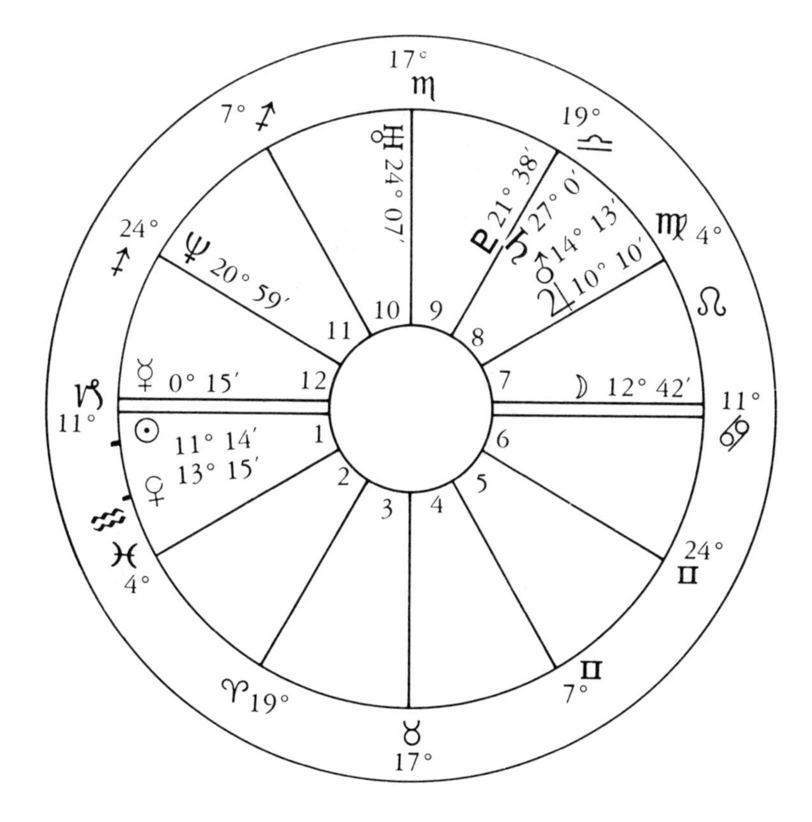

Date de naissance inconnue: thème solaire. Date: 2 janvier 1980; heure inconnue; Londres. Positions des planètes à midi (H.G.) Système de Placide.

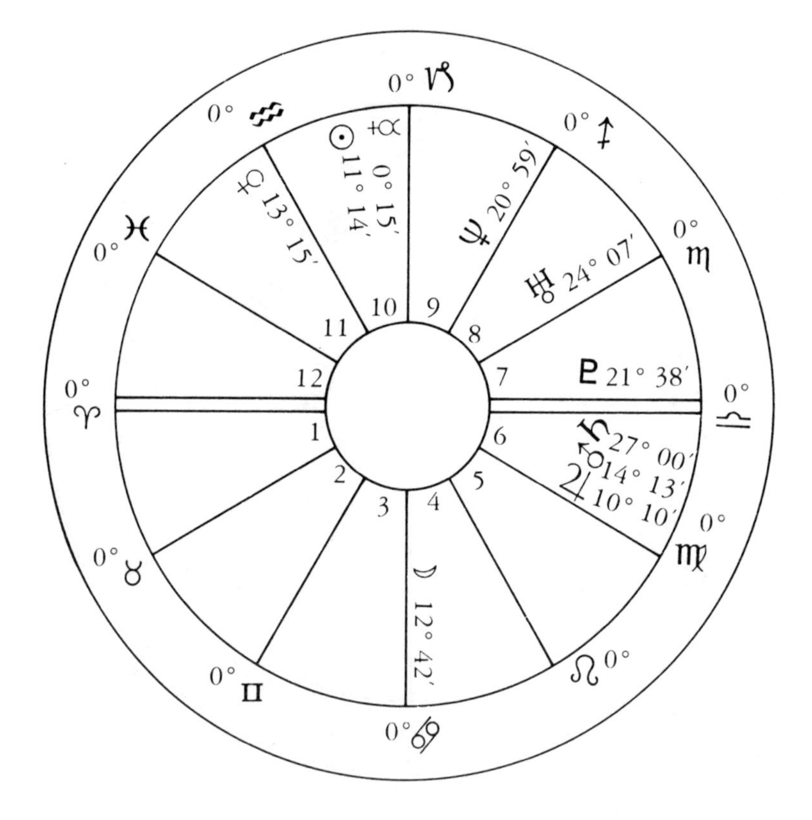

Date de naissance inconnue. Les planètes dans leurs Maisons naturelles (2) Date: 2 janvier 1980; heure inconnue; Londres. Positions des planètes à midi (H.G.); système de l'égalité des Maisons.

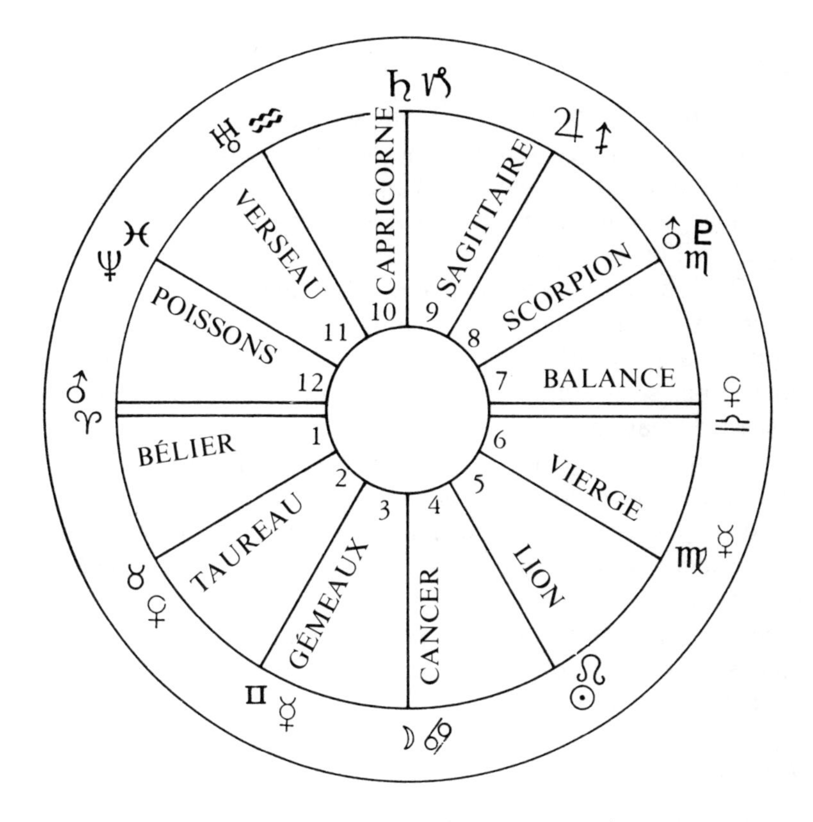

Les signes, les maîtres, les Maisons naturelles.

Cependant ces deux types de graphiques montreront la position des signes et indiqueront, dans une certaine mesure, les influences planétaires en ce jour particulier.

Diagrammes auxiliaires

Le retour du soleil: introduction

En plus du thème natal qui est, bien sûr, valable de la naissance à la mort, d'autres graphiques sont quelquefois utilisés en conjonction avec le thème natal pour déterminer les tendances courantes qui peuvent s'exercer pour une heure de naissance donnée.

De ces graphiques auxiliaires, l'un des plus précieux est le retour du Soleil qui est un thème de "révolution" projeté à l'heure exacte où le Soleil natal revient à la longitude de naissance. Ceci se reproduit chaque année aux alentours de l'anniversaire de naissance.

C'est un graphique personnalisé, aussi différent des autres diagrammes de retour que le sont l'ingression, les solstices ou les nouvelles Lunes qui sont des mesures cosmiques à partir du commencement d'un nouveau cycle. Le retour du Soleil peut donner des renseignements sur les événements et les circonstances qui ont des chances de se produire pendant l'année dans laquelle se produit le retour. L'année, bien entendu, commence à la date du retour du Soleil.

Méthode de calcul

La méthode habituelle pour calculer ces retours du Soleil consiste à définir l'heure *exacte* à laquelle le Soleil revient à la longitude *exacte* de la naissance. Comme le Soleil se meut d'une minute d'arc en 24 minutes de temps environ, il est essentiel que sa position soit mesurée au degré, à la minute et à la seconde de longitude près. Toute incertitude concernant l'heure de la naissance causera une erreur d'évaluation du moment du retour du Soleil, et les cuspides du thème de retour seront inexactes, surtout si un signe d'ascension courte est ascendant.

Pour déterminer la longitude exacte du Soleil, il existe plusieurs méthodes, mais il faut bien noter que les quatre chiffres logarithmiques donnés dans les éphémérides ne sont pas suffisamment précis pour ce calcul. Si l'on utilise les logarithmes, il faut utiliser le ternaire proportionnel concurremment avec les logarithmes diurnes. La façon la plus rapide pour trouver la longitude exacte du Soleil, c'est d'utiliser une calculatrice.

Bien que le graphique du retour du Soleil puisse être étudié et analysé indépendamment des autres thèmes, ses renseignements doivent être rapportés à ceux du thème natal et à toute autre progression qui existe à ce moment-là.

Les mesures angulaires des planètes sont toujours importantes dans les thèmes de retour, et s'il existe des aspects mutuels dans le thème natal, l'année en question sera significative. Le thème de retour du Soleil est extrêmement précieux comme instrument de travail et de prédiction. Sa valeur réelle réside cependant dans sa progression, c'est-à-dire dans son déplacement du début de l'année à son retour l'année suivante.

Retours lunaires

Un retour lunaire est un graphique établi pour l'heure exacte du retour de la Lune natale à la même longitude que celle de la naissance. Ce retour se produit tous les 27 jours environ; ces retours sont calculés à la minute près — on ne tient pas compte des secondes. De même que le retour du Soleil couvre une période de douze mois, le retour lunaire couvre une période d'un mois. Les renseignements trouvés par le graphique doivent être rapportés au thème natal et aux progressions en cours. Il se peut que le retour du Soleil indique le "genre d'année" et le retour lunaire le "genre de mois". Seule une étude approfondie, basée sur des données vérifiées, confirmera cette hypothèse. La méthode de calcul du retour lunaire est identique à celle employée pour le retour du Soleil.

Calculs

Retour du Soleil

En supposant que le Soleil natal d'une personne est à 23° 40′ 10″ en Capricorne, on demande le retour du Soleil pour 1980/1981.

SOLUTION

Position du Soleil d'après les éphémérides 1980:

15 janvier:		24° 29′ 23″
14 janvier:		23° 28′ 15″
Déplacement en 24 heures	=	1° 01′ 08″
Position du Soleil natal		23° 40′ 10″
Position du Soleil à midi le 14janv.		23° 28′ 15″
Différence		11′ 55″

D'où, si 61′ 8″ = 24 heures

11′ 55″ =

$$\frac{11{,}9166 \times 24}{61{,}1333} = 4{,}6782 = 4 \text{ h } 41'$$

Le retour du Soleil se produit à 16 h 41 (H.G.) le 14 janvier 1980.

Un graphique fait pour cette heure de la même manière qu'un thème natal s'appellera le thème de retour du Soleil pour 1980-1981.

Retour lunaire

En supposant que la Lune natale d'une personne est à 1° 55′ en Scorpion, on demande le retour lunaire pour janvier 1980.

SOLUTION

Position de la Lune d'après les éphémérides 1980:

Minuit (du 11 au 12 janvier)		7° 41′ 91″
Midi le 11 janvier	–	1° 33′ 27

Déplacement en 12 heures	=	6°	08′	22″
Position de la Lune natale		1°	55′	00″
Position de la Lune à midi le 11 jan.		1°	33′	27″
Différence	=		21′	33″

Donc, si 6° 8′ = 12 heures

21′ = (on ne tient pas compte des secondes)

$$\frac{21 \times 12}{6{,}133} = 41{,}09 = 41' \text{ en arrondissant}$$

Le retour lunaire se produit 41′ passé midi le 11 janvier (12 h 41 H.G.)

Un tel graphique s'appelle un thème de retour lunaire.

Chapitre 12

EXERCICES

Questions

1. Trouver l'ascendant et le Milieu-du-Ciel à 9 h 15 du matin le 15 janvier 1980, à Londres. L'heure donnée est en H.G.
2. Trouver la position de la Lune à 22 h 30 (H.G.) le 10 janvier 1980. Prendre le déplacement de midi à midi.
3. Trouver la position du Soleil à 23 h 55 (H.G.) le 26 janvier 1980.
4. Trouver la position du Soleil à 5 h du matin (H.N.E.) le 6 janvier 1980 à New York.
5. Trouver l'heure sidérale locale à 16 h 30 (H.G.) à Londres le 6 janvier 1980.
6. Trouver l'heure sidérale locale à 10 h du matin (H.N.P.) à San Francisco le 6 janvier 1980.
7. Trouver l'heure sidérale locale, l'ascendant et le Milieu-du-Ciel à 17 h (heure légale) à Melbourne, en Australie le 20 janvier 1980.

8. Trouver le logarithme proportionnel de:
   (a) 10 h 30′;
   (b) 1° 1′;
   (c) 13° 10′.
9. Quel est l'équivalent de longitude de 115° 10′?
10. À quelle heure du jour, le 6 janvier 1980, le signe et le degré ascendants à Londres seront-ils à 15° dans la Vierge?

Réponses

1. L'ascendant est à 21° en Verseau et le Milieu-du-Ciel à 14° en Sagittaire.
2. La position de la Lune est à 24° 45′ dans la Balance.
3. La position du Soleil est de 6° 11′ en Verseau.
4. La position du Soleil est de 15° 14′ en Capricorne.
5. L'heure sidérale locale est 23 h 31′ 40″.
6. L'heure sidérale locale est 16 h 52′ 12″.
7. L'heure sidérale locale est 0 h 35′ 19″ + 12 h = ascendant à 20° en Gémeaux, Milieu-du-Ciel à 10° en Bélier.
8. Les logarithmes proportionnels sont:
   (a) 0,3590 (b) 1,3730 (c) 0,2607.
9. L'équivalent de longitude en temps est 7 h 40′ 40″.
10. L'ascendant est à 15° dans la Vierge à 21 h 32 (H.G.).

LEXIQUE

Air: L'un des quatre éléments (ternaire). Signes du zodiaque correspondants: Gémeaux, Balance et Verseau.

Altitude: L'élévation d'un corps céleste au-dessus de l'horizon. Une coordonnée du système de l'horizon qui mesure la distance angulaire d'un corps céleste de 0 à 90° à partir de l'horizon.

Angle horaire: La mesure d'arc en allant vers l'ouest à partir du méridien. L'angle entre le cercle horaire d'un corps et le méridien céleste.

Angles: Les 1re, 10e, 7e et 4e Maisons d'un thème natal; l'ascendant, le méridien, le descendant et le nadir.

Année-lumière: Distance parcourue par la lumière en un an (300 000 kilomètres à la seconde).

Année tropicale: L'année des saisons; le temps qu'il faut au Soleil pour effectuer une révolution complète par rapport à l'équinoxe de printemps (point gamma ou degré 0 du Bélier).

Aphélie: Le point de l'orbite d'une planète qui est à la plus grande distance du Soleil.

Apogée: Le point de l'orbite où la Lune ou une planète est à la plus grande distance de la Terre.

Arc diurne: La mesure en degré d'une planète entre son lever et son coucher.

Arctique: La région polaire au nord de la latitude 66° 33' nord.

Ascendant: L'angle oriental; le signe et le degré du zodiaque qui s'élèvent sur l'horizon oriental à l'heure et au lieu de naissance (voir Angles).

Ascendante: On appelle ascendante une planète qui se lève à l'est entre la 4e Maison et le Milieu-du-Ciel.

Ascension droite: Une coordonnée du système de l'équateur mesuré vers l'est à partir du degré 0 du Bélier vers le point d'ascension d'une planète ou d'une partie de l'écliptique; la distance du point gamma le long de l'équateur.

Aspects: La position relative de deux ou trois planètes entre elles. La distance qui sépare les planètes, mesurée en longitude céleste. Les aspects majeurs sont la conjonction, l'opposition, le carré et le trin (ou trine).

Balance: Le septième signe du zodiaque. Le Soleil semble entrer dans ce signe vers le 24 septembre chaque année.

Bélier: Le premier signe du zodiaque. Le Soleil semble entrer dans ce signe vers le 21 mars chaque année (équinoxe de printemps).

Cadente: Les 3e, 6e, 9e et 12e Maisons sont dites cadentes.

Calendrier grégorien: Le nouveau calendrier qui supplanta le vieux calendrier (julien).

Cancer: Le quatrième signe du zodiaque. Le soleil semble entrer dans ce signe vers le 23 juin chaque année.

Capricorne: Le dixième signe du zodiaque. Le Soleil semble entrer dans ce signe vers le 21 décembre chaque année.

Cercle diurne: Le parcours apparent d'un corps céleste dans le ciel pendant la journée.

Cercle polaire: Cercle parallèle de la sphère céleste ou de la terre à 23 1/2° du pôle. Au moment du solstice d'été on peut y observer le Soleil de minuit et au solstice d'hiver le Soleil à midi se trouve sur l'horizon.

Conjonction: Lorsque deux corps célestes se trouvent dans un intervalle de 8° l'un par rapport à l'autre, mesuré en longitude céleste.

Constellations: Ensembles d'étoiles. Celles qui se trouvent près de l'écliptique portent les mêmes noms que les signes du zodiaque mais elles n'y sont associées d'aucune manière.

Coordonnées astronomiques: Les valeurs d'un système de référence utilisé pour définir la position d'un corps sur la sphère céleste. Les trois principaux systèmes sont: 1. Système de l'horizon 2. Système de l'équateur 3. Système de l'écliptique.

Culmination: Le passage d'un corps céleste au méridien.

Cuspide: Le point de division entre les signes ou les Maisons.

Déclinaison: La mesure de la distance angulaire d'un corps céleste à l'équateur céleste.

Déplacement diurne: Le déplacement apparent d'est en ouest des corps célestes dans le ciel.

Descendant: Le point opposé à l'ascendant; le signe et le degré du coucher sur l'horizon occidental à l'heure et au lieu de naissance.

Eau: Un des ternaires; les signes du zodiaque qui sont des signes d'eau sont le Cancer, le Scorpion et les Poissons.

Éclipse: L'obscurcissement partiel ou total qui se produit quand un corps céleste est caché par un autre.

Écliptique: Le grand cercle de la sphère céleste qui représente le parcours apparent du Soleil.

Éléments: Le feu, l'air, la terre et l'eau, chacun comprenant trois signes du zodiaque.

Élévation du pôle: La latitude du lieu de naissance.

Élongation: La distance angulaire d'un corps céleste au Soleil, soit à l'est, soit à l'ouest.

Équateur: Un grand cercle à la surface d'un corps céleste qui définit un plan qui passe par le centre de ce corps et qui est perpendiculaire à son axe de rotation.

Équateur céleste: Un grand cercle sur la sphère céleste à mi-chemin entre les deux pôles célestes.

Équation du temps: La différence entre l'heure solaire apparente et l'heure solaire moyenne.

Équinoxe d'automne: L'équinoxe de septembre: à 0° dans la Balance. Une des intersections de l'équateur céleste et de l'écliptique que le Soleil atteint lorsqu'il passe du nord au sud, vers le 23 septembre.

Équinoxe de printemps (point gamma): Le point d'intersection de l'écliptique et de l'équateur que le Soleil atteint vers le 21 mars chaque année. Le point à partir duquel on mesure l'ascension droite et la longitude céleste.

Équinoxes: Les deux points d'intersection de l'écliptique et de l'équateur; lorsque le Soleil atteint les équinoxes, le jour et la nuit sont d'égale durée.

Étoiles circumpolaires: Les étoiles que l'on voit toujours au-dessus de l'horizon.

Feu: L'un des quatre éléments (ternaire); signes du zodiaque: le Bélier, le Lion et le Sagittaire.

Galaxie: Un système stellaire.

Gémeaux: Le troisième signe du zodiaque. Le Soleil semble entrer dans ce signe vers le 22 mai chaque année.

Greenwich: Localité de la banlieue de Londres (Angleterre). La longitude est mesurée à partir du méridien de Greenwich (méridien 0°).

Heure de naissance: Le moment où un nouveau-né respire seul pour la première fois. L'heure à laquelle un événement arrive ou un projet est commencé.

Heure du fuseau: L'heure légale d'un méridien standard adoptée par toutes les localités d'une région particulière; la différence d'heure entre les fuseaux est généralement d'une heure ou 15° de longitude à partir de Greenwich.

Heure solaire apparente: L'intervalle de temps entre deux passages successifs du Soleil au-dessus du méridien.

Horizon: Le grand cercle qui marque l'intersection du plan horizontal avec la sphère céleste.

Imum coeli (Fond-du-Ciel ou I.C.): Le méridien inférieur; le point opposé est le Milieu-du-Ciel (M.C.)

Jour: La période de temps égale à une révolution de la Terre. Il peut être évalué en temps sidéral, solaire ou solaire moyen.

Jour légal: Le jour solaire moyen de 24 heures.

Jour solaire moyen: L'intervalle de temps entre deux culminations successives du Soleil.

Latitude céleste: La distance angulaire d'un corps céleste au nord ou au sud de l'écliptique. Le Soleil n'a pas de latitude.

Latitude géographique: La distance d'une localité quelconque au nord ou au sud de l'équateur.

Libration: Irrégularité du mouvement de la Lune par rapport à son axe.

Ligne de date internationale: Longitude du 180e méridien qui passe dans l'océan Pacifique.

Lion: Le cinquième signe du zodiaque. Le Soleil semble entrer dans ce signe vers le 24 juillet chaque année.

Longitude céleste: La distance d'un corps à partir du degré 0 du Bélier, mesurée vers l'est le long de l'écliptique (soit en degrés et en minutes, soit en degrés et en minutes de signe).

Longitude géographique: La distance d'une localité quelconque à l'est ou à l'ouest de Greenwich.

Luminaires: Le Soleil et la Lune.

Lunaison: Le temps écoulé entre deux nouvelles Lunes; la séquence des phases de la Lune.

Lune ou croissant: La portion de surface d'une sphère comprise entre deux demi-cercles.

Lune apparente: Le moment où le Soleil passe par le méridien.

Magnitude: Mesure de l'éclat d'une étoile.

Maisons: Les douze divisions du thème natal numérotées à partir de l'ascendant dans le sens contraire des aiguilles d'une montre.

Méridien: Un grand cercle de la sphère céleste qui passe par les pôles, le zénith et le nadir et correspond à la longitude géographique.

Méridien céleste: Le grand cercle de la sphère céleste qui passe par les pôles, le zénith et le nadir, et aux points nord et sud de l'horizon. Longitude du méridien de l'observateur projetée sur la sphère céleste.

Méridien standard: Le méridien adopté pour les fuseaux horaires.

Milieu-du-Ciel (Medium coeli ou M.C.): Point de culmination de l'écliptique.

Mois synodique: L'intervalle de temps entre deux pleines Lunes; la durée du mois synodique est de 29,5306 jours.

Mouvement rétrograde: Le mouvement apparent vers l'ouest d'un corps, contraire à son mouvement habituel.

Nadir: Le point du ciel directement opposé au zénith.

Noeuds: Point d'intersection de la planète avec l'écliptique quand elle se déplace du sud au nord ou inversement.

Obliquité de l'écliptique: L'angle de 23 1/2° que forment l'équateur céleste et l'écliptique.

Opposition: Aspect formé par deux planètes qui se trouvent à 180° de distance l'une de l'autre.

Parallèles: Se rapporte généralement aux parallèles de déclinaison; cercles parallèles à l'équateur céleste.

Passage: Le passage d'un corps céleste au méridien; en astrologie le passage d'une planète au méridien de naissance.

Périgée: Point de l'orbite de la Lune ou d'une planète lorsqu'elles se trouvent le plus rapprochées de la Terre.

Périphélie: Point de l'orbite d'une planète lorsqu'elle se trouve le plus rapprochée du Soleil.

Planètes: Corps célestes comme la Terre qui se déplacent autour du Soleil et qui constituent le système solaire dont le Soleil est le centre.

Planètes inférieures: Les planètes dont les orbites se trouvent à l'intérieur de l'orbite de la Terre — Mercure et Vénus.

Planètes supérieures: Celles dont les orbites se trouvent à l'extérieur de celle de la Terre; ce sont Mars, Jupiter, Saturne, Uranus, Neptune et Pluton.

Poissons: Le douzième signe du zodiaque. Le Soleil semble entrer dans ce signe vers le 20 février chaque année.

Polarité: Un signe du zodiaque a une "polarité" avec son signe opposé; par exemple, Bélier/Balance, Taureau/Scorpion, etc.

Pôles/élévation polaire: La hauteur du pôle au-dessus de l'horizon est toujours égale à la latitude géographique.

Pôles célestes: Les points du ciel qui sont directement au-dessus des pôles géographiques. L'axe de rotation de la Terre prolongé dans l'espace.

Précession: L'avance graduelle du point équinoxial (équinoxe de printemps) d'environ 50 secondes par an vers l'ouest. Due à la rotation du pôle de l'équateur autour du pôle de l'écliptique.

Premier méridien: Le méridien de Greenwich qui est le point zéro de mesure de longitude sur la Terre.

Premier vertical: Le grand cercle qui coupe l'horizon à l'est et à l'ouest en passant par le zénith pour former des angles droits avec le méridien.

Quadrature: Distance de 90°; aspect carré.

Sagittaire: Le neuvième signe du zodiaque. Le soleil semble entrer dans ce signe aux alentours du 23 novembre chaque année.

Scorpion: Le huitième signe du zodiaque. Le soleil semble entrer dans ce signe vers le 24 octobre chaque année.

Sextile: Un aspect de 60°.

Signe ou planète ascendant(e): Le signe qui monte; une planète qui se trouve à 8° ou moins de l'ascendant, en dessus ou en dessous.

Signes cardinaux: Les signes du Bélier, du Cancer, de la Balance et du Capricorne.

Signes communs: Autre appellation des signes mutables. Ce sont les Gémeaux, la Vierge, le Sagittaire et les Poissons.

Signes équinoxiaux: Le Bélier et la Balance.

Signes fixes: Les signes du Taureau, du Lion, du Scorpion et du Verseau.

Signes mobiles: Terme traditionnel pour les signes cardinaux: le Bélier, le Cancer, la Balance et le Capricorne.

Signes mutables: Les signes du zodiaque mutables sont les Gémeaux, la Vierge, le Sagittaire et les Poissons.

Signes négatifs: Signes de terre et d'eau du ternaire.

Signes positifs: Les signes de feu et d'air (ternaires): le Bélier, le Lion, le Sagittaire, les Gémeaux, la Balance et le Verseau.

Soleil de minuit: Expression utilisée pour décrire le Soleil lorsqu'il est visible au-dessus de l'horizon à minuit et circumpolaire au nord du cercle arctique et au sud du cercle antarctique.

Soleil moyen: Soleil factice utilisé pour mesurer le temps de sa course le long de l'équateur contrairement au Soleil vrai, qui se déplace le long de l'écliptique.

Solstices: Le moment où le Soleil est à sa plus grande déclinaison nord ou sud, ce qui se produit vers les 22 ou 23 juin et 22 ou 23 décembre. Le Soleil est alors à sa distance maximum de l'équateur et il semble immobile.

Sphère céleste: La sphère apparente, dont la Terre est le centre, sur laquelle les corps célestes semblent être projetés.

Synastrie: La comparaison des thèmes.

Système de l'écliptique: Système de coordonnées dont le plan de base est celui de l'écliptique.

Système de l'équateur: Un système de coordonnées dont le plan de base est le plan de l'équateur.

Système de l'horizon: Un système de coordonnées dont le plan de base est le plan de l'horizon.

Taureau: Le deuxième signe du zodiaque. Le Soleil semble entrer dans ce signe vers le 21 avril chaque année.

T-carré: Planètes en opposition avec une ou deux autres en carré.

Temps, jour, année sidéral(e): Temps basé sur la rotation de la Terre par rapport aux étoiles; intervalle de temps compris entre deux culminations successives de l'équinoxe de printemps qui détermine le commencement du jour sidéral: une année sidérale est le temps de révolution du Soleil par rapport aux étoiles qui correspond au temps de révolution de la Terre autour du Soleil.

Temps, jour, année solaire: Temps légal utilisé couramment, basé sur le déplacement du Soleil en un jour: le jour solaire est l'intervalle de temps entre deux culminations du Soleil apparent; la valeur moyenne du jour solaire apparent est appelée jour solaire moyen; l'année solaire est aussi appelée année tropicale (année des saisons).

Temps solaire moyen: Mesure de temps basée sur le déplacement moyen du Soleil.

Temps universel (T.U.): Temps solaire moyen calculé à partir du minuit moyen au méridien de Greenwich.

Terre: Une des ternaires; signes du zodiaque: le Taureau, la Vierge et le Capricorne.

Thème natal ou de naissance: Un graphique indiquant les positions du Soleil, de la Lune et des planètes à une heure et à une date données. Un graphique pour l'heure de naissance d'une personne, d'un événement ou d'un projet.

Trine: Un aspect de 120°.

Tropiques: Deux parallèles aux latitudes, égales à l'inclinaison de l'écliptique (23 1/2°). Le Tropique du Cancer est au nord de l'équateur et le Tropique du Capricorne est au sud de l'équateur.

Verseau: Le onzième signe du zodiaque. Le Soleil semble entrer dans ce signe chaque année vers le 22 janvier.

Vierge: Le sixième signe du zodiaque. Le Soleil semble entrer dans ce signe vers le 24 août chaque année.

Zénith: Le point de la sphère céleste directement audessus de l'observateur, à une distance de 90° à partir de l'équateur.

Zodiaque (Cercle des animaux): Une ceinture ou bande de 8° de part et d'autre de l'écliptique. Pour les besoins de l'astrologie, le zodiaque est divisé en douze signes de 30° chacun.

OUVRAGES DE RÉFÉRENCE

Les ouvrages suivants contiennent toutes les données qui permettront à l'élève de faire ses calculs avec précision:

OUVRAGE	ÉDITEUR
• Raphael's Ephemeris • Raphael's Tables of Houses for Northern Latitudes	W. Foulsham & Co. Ltd. Yeovil Road, Slough, Angleterre
• The American Book of Tables • The American Ephemeris for the 20th Century (1900-2000) (y compris Pluton)	Neil F. Michelson Astro Computing Services New York, U.S.A.
• Longitudes and Latitudes Throughout the World (États-Unis non compris) • Longitudes and latitudes in the U.S.A.	E. Dernay American Federation of Astrologers

- Time Changes in the U.S.A.
- Time Changes in Canada and Mexico
- Time Changes in the World (États-Unis, Canada et Mexique non compris)

Doris Chase Doane
Professional Astrologers Incorporated
Hollywood, U.S.A.

ADRESSES UTILES

Voilà plus de trente ans, on s'est rendu compte que les astrologues, et particulièrement ceux qui en font leur métier, devraient être formés à des techniques et des pratiques saines.

Il fallait un corps enseignant capable de décerner des diplômes. La Faculté des Études Astrologiques fut fondée à Londres en juin 1948 par deux hommes aux idées avancées, E. Caselli et L. von Sommeruga de l' Astrological Lodge. C'était un organisme sans but lucratif dont le but était de former des astrologues sérieux qui seraient capables de contribuer à l'avancement de cette science et d'instituer des examens annuels qui garantiraient un standard élevé qui commanderait le respect. Charles Carter et Margaret Hone furent parmi les membres fondateurs et, depuis lors, la plupart des éminents astrologues d'Angleterre ont été fiers d'obtenir le diplôme de cette faculté; ils en ont signé le code d'éthique témoignant ainsi de leur bonne foi et de leur intégrité.

La faculté est maintenant dirigée par un conseil élu démocratiquement et choisi parmi ses membres, c'est-à-dire ceux qui ont leur diplôme. Elle a formé des étudiants de plus de cent pays, et ce diplôme est reconnu dans le monde entier. Les cours sont continuellement recyclés en fonction des nouveaux développements des recherches en astrologie et en psychologie avancées.

On peut suivre des cours par correspondance menant au certificat décerné par cette faculté, ou encore, on peut suivre des cours privés ou s'inscrire à des cours semestriels donnés chaque automne à Londres. Après quoi on peut suivre un programme de deux ans (offert également sur place et par correspondance) menant au diplôme. Ces trois années d'étude complètent le programme de formation professionnelle. Les examens ont lieu en mai, chaque année, mais ne sont pas obligatoires pour les étudiants qui ne veulent pas en faire une profession.

La faculté offre aux étudiants britanniques une bibliothèque, organise des week-ends de révision avant les examens, des cours d'été et une journée annuelle d'information.

Les étudiants diplômés qui désirent travailler comme consultants peuvent s'inscrire et la faculté se charge d'envoyer la liste des postulants aux clients prospectifs. À cause de la demande croissante pour les cours du soir, on a besoin de professeurs attitrés et qualifiés.

Pour plus de renseignements, s'adresser à:

The Registrar
Hook Cottage
Vines Cross
Heathfield
Sussex TN21 9EN
Angleterre

Pour ceux qui ne veulent pas nécessairement être diplômés ou devenir professeurs, mais qui désirent recevoir un enseignement adéquat, Geddes Associates donnent des cours sur rubans sonores. Pour plus de détails s'adresser à:

Geddes (P.H.) Associates
89 Woodfield Road
Thames Ditton
Surrey KT7 ODS
Angleterre

Le lecteur francophone aura aussi avantage à communiquer avec les organismes suivants:

AU CANADA:

La Société astrologique de
Montréal
620, rue de l'Épée, app. 1
Outremont (Québec)
H2V 3T8

EN EUROPE:

L'Association internationale
d'astrologie
134, av. Jean-Jaurès
75019 Paris
France

TABLES DE CALCULS

Table 1 : Intervalle de temps jusqu'à midi

La source de bien des erreurs dans le calcul d'un thème réside dans le fait que l'intervalle de temps entre la naissance et midi est mal évalué. Il est très facile de commettre des erreurs quand on soustrait l'heure de naissance de l'heure de midi, et la table ci-dessous peut permettre d'éviter certaines de ces erreurs.

Par exemple, quel est l'intervalle jusqu'à midi pour les heures de naissance suivantes:

		h	min			h	min
7 h 53	=	4	7	1 h 17	=	10	43
5 h 43	=	8	17	6 h 19	=	5	41
6 h 10	=	5	50	9 h 24	=	2	36

HEURES

Min	0		1		2		3		4		5		6	
	H	M	H	M	H	M	H	M	H	M	H	M	H	M
0	12	00	11	00	10	00	9	00	8	00	7	00	6	00
1	11	59	10	59	9	59	8	59	7	59	6	59	5	59
2	11	58	10	58	9	58	8	58	7	58	6	58	5	58
3	11	57	10	57	9	57	8	57	7	57	6	57	5	57
4	11	56	10	56	9	56	8	56	7	56	6	56	5	56
5	11	55	10	55	9	55	8	55	7	55	6	55	5	55
6	11	54	10	54	9	54	8	54	7	54	6	54	5	54
7	11	53	10	53	9	53	8	53	7	53	6	53	5	53
8	11	52	10	52	9	52	8	52	7	52	6	52	5	52
9	11	51	10	51	9	51	8	51	7	51	6	51	5	51
10	11	50	10	50	9	50	8	50	7	50	6	50	5	50
11	11	49	10	49	9	49	8	49	7	49	6	49	5	49
12	11	48	10	48	9	48	8	48	7	48	6	48	5	48
13	11	47	10	47	9	47	8	47	7	47	6	47	5	47
14	11	46	10	46	9	46	8	46	7	46	6	46	5	46
15	11	45	10	45	9	45	8	45	7	45	6	45	5	45
16	11	44	10	44	9	44	8	44	7	44	6	44	5	44
17	11	43	10	43	9	43	8	43	7	43	6	43	5	43
18	11	42	10	42	9	42	8	42	7	42	6	42	5	42
19	11	41	10	41	9	41	8	41	7	41	6	41	5	41
20	11	40	10	40	9	40	8	40	7	40	6	40	5	40
21	11	39	10	39	9	39	8	39	7	39	6	39	5	39
22	11	38	10	38	9	38	8	38	7	38	6	38	5	38
23	11	37	10	37	9	37	8	37	7	37	6	37	5	37
24	11	36	10	36	9	36	8	36	7	36	6	36	5	36
25	11	35	10	35	9	35	8	35	7	35	6	35	5	35
26	11	34	10	34	9	34	8	34	7	34	6	34	5	34
27	11	33	10	33	9	33	8	33	7	33	6	33	5	33
28	11	32	10	32	9	32	8	32	7	32	6	32	5	32
29	11	31	10	31	9	31	8	31	7	31	6	31	5	31
30	11	30	10	30	9	30	8	30	7	30	6	30	5	30

Table 1 (suite)

HEURES

Min	0 H	0 M	1 H	1 M	2 H	2 M	3 H	3 M	4 H	4 M	5 H	5 M	6 H	6 M
31	11	29	10	29	9	29	8	29	7	29	6	29	5	29
32	11	28	10	28	9	28	8	28	7	28	6	28	5	28
33	11	27	10	27	9	27	8	27	7	27	6	27	5	27
34	11	26	10	26	9	26	8	26	7	26	6	26	5	26
35	11	25	10	25	9	25	8	25	7	25	6	25	5	25
36	11	24	10	24	9	24	8	24	7	24	6	24	5	24
37	11	23	10	23	9	23	8	23	7	23	6	23	5	23
38	11	22	10	22	9	22	8	22	7	22	6	22	5	22
39	11	21	10	21	9	21	8	21	7	21	6	21	5	21
40	11	20	10	20	9	20	8	20	7	20	6	20	5	20
41	11	19	10	19	9	19	8	19	7	19	6	19	5	19
42	11	18	10	18	9	18	8	18	7	18	6	18	5	18
43	11	17	10	17	9	17	8	17	7	17	6	17	5	17
44	11	16	10	16	9	16	8	16	7	16	6	16	5	16
45	11	15	10	15	9	15	8	15	7	15	6	15	5	15
46	11	14	10	14	9	14	8	14	7	14	6	14	5	14
47	11	13	10	13	9	13	8	13	7	13	6	13	5	13
48	11	12	10	12	9	12	8	12	7	12	6	12	5	12
49	11	11	10	11	9	11	8	11	7	11	6	11	5	11
50	11	10	10	10	9	10	8	10	7	10	6	10	5	10
51	11	09	10	09	9	09	8	09	7	09	6	09	5	09
52	11	08	10	08	9	08	8	08	7	08	6	08	5	08
53	11	07	10	07	9	07	8	07	7	07	6	07	5	07
54	11	06	10	06	9	06	8	06	7	06	6	06	5	06
55	11	05	10	05	9	05	8	05	7	05	6	05	5	05
56	11	04	10	04	9	04	8	04	7	04	6	04	5	04
57	11	03	10	03	9	03	8	03	7	03	6	03	5	03
58	11	02	10	02	9	02	8	02	7	02	6	02	5	02
59	11	01	10	01	9	01	8	01	7	01	6	01	5	01

Table 1 (suite)

HEURES

Min	7 H	7 M	8 H	8 M	9 H	9 M	10 H	10 M	11 H	11 M
0	5	00	4	00	3	00	2	00	1	00
1	4	59	3	59	2	59	1	59	0	59
2	4	58	3	58	2	58	1	58	0	58
3	4	57	3	57	2	57	1	57	0	57
4	4	56	3	56	2	56	1	56	0	56
5	4	55	3	55	2	55	1	55	0	55
6	4	54	3	54	2	54	1	54	0	54
7	4	53	3	53	2	53	1	53	0	53
8	4	52	3	52	2	52	1	52	0	52
9	4	51	3	51	2	51	1	51	0	51
10	4	50	3	50	2	50	1	50	0	50
11	4	49	3	49	2	49	1	49	0	49
12	4	48	3	48	2	48	1	48	0	48
13	4	47	3	47	2	47	1	47	0	47
14	4	46	3	46	2	46	1	46	0	46
15	4	45	3	45	2	45	1	45	0	45
16	4	44	3	44	2	44	1	44	0	44
17	4	43	3	43	2	43	1	43	0	43
18	4	42	3	42	2	42	1	42	0	42
19	4	41	3	41	2	41	1	41	0	41
20	4	40	3	40	2	40	1	40	0	40
21	4	39	3	39	2	39	1	39	0	39
22	4	38	3	38	2	38	1	38	0	38
23	4	37	3	37	2	37	1	37	0	37
24	4	36	3	36	2	36	1	36	0	36
25	4	35	3	35	2	35	1	35	0	35
26	4	34	3	34	2	34	1	34	0	34
27	4	33	3	33	2	33	1	33	0	33
28	4	32	3	32	2	32	1	32	0	32
29	4	31	3	31	2	31	1	31	0	31
30	4	30	3	30	2	30	1	30	0	30

Table 1 (suite)

HEURES

Min	7		8		9		10		11	
	H	M	H	M	H	M	H	M	H	M
31	4	29	3	29	2	29	1	29	0	29
32	4	28	3	28	2	28	1	28	0	28
33	4	27	3	27	2	27	1	27	0	27
34	4	26	3	26	2	26	1	26	0	26
35	4	25	3	25	2	25	1	25	0	25
36	4	24	3	24	2	24	1	24	0	24
37	4	23	3	23	2	23	1	23	0	23
38	4	22	3	22	2	22	1	22	0	22
39	4	21	3	21	2	21	1	21	0	21
40	4	20	3	20	2	20	1	20	0	20
41	4	19	3	19	2	19	1	19	0	19
42	4	18	3	18	2	18	1	18	0	18
43	4	17	3	17	2	17	1	17	0	17
44	4	16	3	16	2	16	1	16	0	16
45	4	15	3	15	2	15	1	15	0	15
46	4	14	3	14	2	14	1	14	0	14
47	4	13	3	13	2	13	1	13	0	13
48	4	12	3	12	2	12	1	12	0	12
49	4	11	3	11	2	11	1	11	0	11
50	4	10	3	10	2	10	1	10	0	10
51	4	09	3	09	2	09	1	09	0	09
52	4	08	3	08	2	08	1	08	0	08
53	4	07	3	07	2	07	1	07	0	07
54	4	06	3	06	2	06	1	06	0	06
55	4	05	3	05	2	05	1	05	0	05
56	4	04	3	04	2	04	1	04	0	04
57	4	03	3	03	2	03	1	03	0	03
58	4	02	3	02	2	02	1	02	0	02
59	4	01	3	01	2	01	1	01	0	01

Table 2: Conversion de l'heure solaire en temps sidéral (9,86 s/h)

Heure solaire (*h*)	*Correction* '	''
1	0	9.86
2	0	19.71
3	0	29.57
4	0	39.43
5	0	49.28
6	0	59.14
7	1	09.00
8	1	18.85
9	1	28.71
10	1	38.56
11	1	48.42
12	1	58.28
13	2	08.13
14	2	17.99
15	2	27.85
16	2	37.70
17	2	47.56
18	2	57.42
19	3	07.27
20	3	17.13
21	3	26.99
22	3	36.84
23	3	46.70
24	3	56.56

Heure solaire '	*Correction* ''	*Heure solaire* '	*Correction* ''
1	0.16	31	5.09
2	0.33	32	5.26
3	0.49	33	5.42
4	0.66	34	5.59
5	0.82	35	5.75
6	0.99	36	5.92
7	1.15	37	6.08
8	1.31	38	6.24
9	1.48	39	6.41
10	1.64	40	6.57
11	1.81	41	6.74
12	1.97	42	6.90
13	2.14	43	7.07
14	2.30	44	7.23
15	2.46	45	7.39
16	2.63	46	7.56
17	2.79	47	7.72
18	2.96	48	7.89
19	3.12	49	8.05
20	3.29	50	8.22
21	3.45	51	8.38
22	3.61	52	8.54
23	3.78	53	8.71
24	3.94	54	8.87
25	4.11	55	9.04
26	4.27	56	9.20
27	4.44	57	9.37
28	4.60	58	9.53
29	4.76	59	9.69
30	4.93		

Table 3: Équivalents de longitude

Long.	*Équiv.*	
°	*h*	*min*
1	0	04
2	0	08
3	0	12
4	0	16
5	0	20
6	0	24
7	0	28
8	0	32
9	0	36
10	0	40
11	0	44
12	0	48
13	0	52
14	0	56
15	1	00
16	1	04
17	1	08
18	1	12
19	1	16
20	1	20
21	1	24
22	1	28
23	1	32
24	1	36
25	1	40
26	1	44
27	1	48
28	1	52
29	1	56
30	2	00
31	2	04
32	2	08
33	2	12
34	2	16
35	2	20
36	2	24
37	2	28
38	2	32
39	2	36
40	2	40
41	2	44
42	2	48
43	2	52
44	2	56
45	3	00
46	3	04
47	3	08
48	3	12
49	3	16
50	3	20
51	3	24
52	3	28
53	3	32
54	3	36
55	3	40
56	3	44
57	3	48
58	3	52
59	3	56
60	4	00
61	4	04
62	4	08
63	4	12
64	4	16
65	4	20
66	4	24
67	4	28
68	4	32
69	4	36
70	4	40
71	4	44
72	4	48
73	4	52
74	4	56
75	5	00
76	5	04

Table 3: (suite)

Long.	*Équiv.*	
°	*h*	*min*
77	5	08
78	5	12
79	5	16
80	5	20
81	5	24
82	5	28
83	5	32
84	5	36
85	5	40
86	5	44
87	5	48
88	5	52
89	5	56
90	6	00
91	6	04
92	6	08
93	6	12
94	6	16
95	6	20
96	6	24
97	6	28
98	6	32
99	6	36
100	6	40
101	6	44
102	6	48
103	6	52
104	6	56
105	7	00
106	7	04
107	7	08
108	7	12
109	7	16
110	7	20
111	7	24
112	7	28
113	7	32
114	7	36
115	7	40
116	7	44
117	7	48
118	7	52
119	7	56
120	8	00
121	8	04
122	8	08
123	8	12
124	8	16
125	8	20
126	8	24
127	8	28
128	8	32
129	8	36
130	8	40
131	8	44
132	8	48
133	8	52
134	8	56
135	9	00
136	9	04
137	9	08
138	9	12
139	9	16
140	9	20
141	9	24
142	9	28
143	9	32
144	9	36
145	9	40
146	9	44
147	9	48
148	9	52
149	9	56
150	10	00

Table 3: (suite)

Long. °	*Équiv.* *h*	*min*
151	10	04
152	10	08
153	10	12
154	10	16
155	10	20
156	10	24
157	10	28
158	10	32
159	10	36
160	10	40
161	10	44
162	10	48
163	10	52
164	10	56
165	11	00

Long. °	*Équiv.* *h*	*min*
166	11	04
167	11	08
168	11	12
169	11	16
170	11	20
171	11	24
172	11	28
173	11	32
174	11	36
175	11	40
176	11	44
177	11	48
178	11	52
179	11	56
180	12	00

Long. ′	*Équiv.* ′	″
1	0	04
2	0	08
3	0	12
4	0	16
5	0	20
6	0	24
7	0	28
8	0	32
9	0	36
10	0	40
11	0	44
12	0	48
13	0	52
14	0	56
15	1	00

Long. ′	*Équiv.* ′	″
16	1	04
17	1	08
18	1	12
19	1	16
20	1	20
21	1	24
22	1	28
23	1	32
24	1	36
25	1	40
26	1	44
27	1	48
28	1	52
29	1	56
30	2	00

Long. ′	*Équiv.* ′	″
31	2	04
32	2	08
33	2	12
34	2	16
35	2	20
36	2	24
37	2	28
38	2	32
39	2	36
40	2	40
41	2	44
42	2	48
43	2	52
44	2	56
45	3	00

Long. ′	*Équiv.* ′	″
46	3	04
47	3	08
48	3	12
49	3	16
50	3	20
51	3	24
52	3	28
53	3	32
54	3	36
55	3	40
56	3	44
57	3	48
58	3	52
59	3	56

Exemple:
Quel est l'équivalent de longitude de 145° 18'?

		H	M	S	
D'après les tables: 145°	=	9	40	00	
18'	=	0	01	12	+
		9	41	12	

Avec la calculatrice:

$$145^\circ\ 18' = \frac{145.3}{15} = 9.6866 \quad = \quad 9 \quad 41 \quad 12$$

Table 4: Ascension droite

Bélier et Balance (Ajouter 12 h ou 180° pour la Balance)						
Temps sidéral			Asc. dr.		Long.	
h	min	s	°	′	°	′
0	00	00	0	00	0	00
0	04	00	1	00	1	05
0	08	00	2	00	2	11
0	12	00	3	00	3	16
0	16	00	4	00	4	21
0	20	00	5	00	5	27
0	24	00	6	00	6	32
0	28	00	7	00	7	37
0	32	00	8	00	8	42
0	36	00	9	00	9	48
0	40	00	10	00	10	53
0	44	00	11	00	11	58
0	48	00	12	00	13	03
0	52	00	13	00	14	07
0	56	00	14	00	15	12
1	00	00	15	00	16	17
1	04	00	16	00	17	21
1	08	00	17	00	18	26
1	12	00	18	00	19	30
1	16	00	19	00	20	34
1	20	00	20	00	21	38
1	24	00	21	00	22	42
1	28	00	22	00	23	46
1	32	00	23	00	24	50
1	36	00	24	00	25	53
1	40	00	25	00	26	56
1	44	00	26	00	28	00
1	48	00	27	00	29	03

Table 4 (suite)

Taureau et Scorpion (Ajouter 12 h ou 180° pour le Scorpion)						
Temps sidéral			Asc. dr.		Long.	
h	min	s	°	′	°	′
1	52	00	28	00	0	06
1	56	00	29	00	1	08
2	00	00	30	00	2	11
2	04	00	31	00	3	13
2	08	00	32	00	4	15
2	12	00	33	00	5	18
2	16	00	34	00	6	19
2	20	00	35	00	7	21
2	24	00	36	00	8	22
2	28	00	37	00	9	24
2	32	00	38	00	10	25
2	36	00	39	00	11	26
2	40	00	40	00	12	27
2	44	00	41	00	13	27
2	48	00	42	00	14	28
2	52	00	43	00	15	28
2	56	00	44	00	16	28
3	00	00	45	00	17	28
3	04	00	46	00	18	28
3	08	00	47	00	19	27
3	12	00	48	00	20	26
3	16	00	49	00	21	26
3	20	00	50	00	22	25
3	24	00	51	00	23	23
3	28	00	52	00	24	22
3	32	00	53	00	25	20
3	36	00	54	00	26	19
3	40	00	55	00	27	17
3	44	00	56	00	28	15
3	48	00	57	00	29	13

Table 4 (suite)

Gémeaux et Sagittaire (Ajouter 12 h ou 180° pour le Sagittaire)						
Temps sidéral			Asc.dr.		Long.	
h	min	s	°	′	°	′
3	52	00	58	00	0	10
3	56	00	59	00	1	08
4	00	00	60	00	2	05
4	04	00	61	00	3	03
4	08	00	62	00	4	00
4	12	00	63	00	4	57
4	16	00	64	00	5	54
4	20	00	65	00	6	50
4	24	00	66	00	7	47
4	28	00	67	00	8	43
4	32	00	68	00	9	40
4	36	00	69	00	10	36
4	40	00	70	00	11	32
4	44	00	71	00	12	28
4	48	00	72	00	13	24
4	52	00	73	00	14	20
4	56	00	74	00	15	16
5	00	00	75	00	16	11
5	04	00	76	00	17	07
5	08	00	77	00	18	02
5	12	00	78	00	18	58
5	16	00	79	00	19	53
5	20	00	80	00	20	49
5	24	00	81	00	21	44
5	28	00	82	00	22	39
5	32	00	83	00	23	34
5	36	00	84	00	24	29
5	40	00	85	00	25	25
5	44	00	86	00	26	20
5	48	00	87	00	27	15
5	52	00	88	00	28	10
5	56	00	89	00	29	05

Table 4 (suite)

Cancer et Capricorne (Ajouter 12 h ou 180° pour le Capricorne)						
Temps sidéral			Asc.dr.		Long.	
h	min	s	°	′	°	′
6	00	00	90	00	0	00
6	04	00	91	00	0	55
6	08	00	92	00	1	50
6	12	00	93	00	2	45
6	16	00	94	00	3	40
6	20	00	95	00	4	35
6	24	00	96	00	5	31
6	28	00	97	00	6	26
6	32	00	98	00	7	21
6	36	00	99	00	8	16
6	40	00	100	00	9	11
6	44	00	101	00	10	07
6	48	00	102	00	11	02
6	52	00	103	00	11	58
6	56	00	104	00	12	53
7	00	00	105	00	13	49
7	04	00	106	00	14	44
7	08	00	107	00	15	40
7	12	00	108	00	16	36
7	16	00	109	00	17	32
7	20	00	110	00	18	28
7	24	00	111	00	19	24
7	28	00	112	00	20	20
7	32	00	113	00	21	17
7	36	00	114	00	22	13
7	40	00	115	00	23	10
7	44	00	116	00	24	06
7	48	00	117	00	25	03
7	52	00	118	00	26	00
7	56	00	119	00	26	57
8	00	00	120	00	27	54
8	04	00	121	00	28	52
8	08	00	122	00	29	50

Table 4 (suite)

Lion et Verseau (Ajouter 12 h ou 180° pour le Verseau)						
Temps sidéral			Asc. dr.		Long.	
h	min	s	°	′	°	′
8	12	00	123	00	0	47
8	16	00	124	00	. 1	45
8	20	00	125	00	2	43
8	24	00	126	00	3	41
8	28	00	127	00	4	40
8	32	00	128	00	5	38
8	36	00	129	00	6	37
8	40	00	130	00	7	35
8	44	00	131	00	8	35
8	48	00	132	00	9	34
8	52	00	133	00	10	33
8	56	00	134	00	11	32
9	00	00	135	00	12	32
9	04	00	136	00	13	32
9	08	00	137	00	14	32
9	12	00	138	00	15	32
9	16	00	139	00	16	33
9	20	00	140	00	17	33
9	24	00	141	00	18	34
9	28	00	142	00	19	35
9	32	00	143	00	20	36
9	36	00	144	00	21	38
9	40	00	145	00	22	39
9	44	00	146	00	23	41
9	48	00	147	00	24	42
9	52	00	148	00	25	45
9	56	00	149	00	26	47
10	00	00	150	00	27	49
10	04	00	151	00	28	52
10	08	00	152	00	29	54

Tableau 4 (suite)

Vierge et Poissons (Ajouter 12 h ou 180° pour les Poissons)						
Temps sidéral			Asc. dr.		Long.	
h	min	s	°	′	°	′
10	12	00	153	00	0	57
10	16	00	154	00	2	00
10	20	00	155	00	3	04
10	24	00	156	00	4	07
10	28	00	157	00	5	10
10	32	00	158	00	6	14
10	36	00	159	00	7	18
10	40	00	160	00	8	22
10	44	00	161	00	9	26
10	48	00	162	00	10	30
10	52	00	163	00	11	34
10	56	00	164	00	12	39
11	00	00	165	00	13	43
11	04	00	166	00	14	48
11	08	00	167	00	15	53
11	12	00	168	00	16	57
11	16	00	169	00	18	02
11	20	00	170	00	19	07
11	24	00	171	00	20	12
11	28	00	172	00	21	18
11	32	00	173	00	22	23
11	36	00	174	00	23	28
11	40	00	175	00	24	33
11	44	00	176	00	25	39
11	48	00	177	00	26	44
11	52	00	178	00	27	49
11	56	00	179	00	28	55

Table 5(a): Heures et minutes exprimées en fractions décimales de journée

	HEURES					
	0	1	2	3	4	5
M	Fractions décimales					
0	0.000 000	0.041 667	0.083 333	0.125 000	0.166 667	0.208 333
1	.000 694	.042 361	.084 028	.125 694	.167 361	.209 028
2	.001 389	.043 056	.084 722	.126 389	.168 056	.209 722
3	.002 083	.043 750	.085 417	.127 083	.168 750	.210 417
4	.002 778	.044 444	.086 111	.127 778	.169 444	.211 111
5	0.003 472	0.045 139	0.086 806	0.128 472	0.170 139	0.211 806
6	.004 167	.045 833	.087 500	.129 167	.170 833	.212 500
7	.004 861	.046 528	.088 194	.129 861	.171 528	.213 194
8	.005 556	.047 222	.088 889	.130 556	.172 222	.213 889
9	.006 250	.047 917	.089 583	.131 250	.172 917	.214 583
10	0.006 944	0.048 611	0.090 278	0.131 944	0.173 611	0.215 278
11	.007 639	.049 306	.090 972	.132 639	.174 306	.215 972
12	.008 333	.050 000	.091 667	.133 333	.175 000	.216 667
13	.009 028	.050 694	.092 361	.134 028	.175 694	.217 361
14	.009 722	.051 389	.093 056	.134 722	.176 389	.218 056
15	0.010 417	0.052 083	0.093 750	0.135 417	0.177 083	0.218 750
16	.011 111	.052 778	.094 444	.136 111	.177 778	.219 444
17	.011 806	.053 472	.095 139	.136 806	.178 472	.220 139
18	.012 500	.054 167	.095 833	.137 500	.179 167	.220 833
19	.013 194	.054 861	.096 528	.138 194	.179 861	.221 528
20	0.013 889	0.055 556	0.097 222	0.138 889	0.180 556	0.222 222
21	.014 583	.056 250	.097 917	.139 583	.181 250	.222 917
22	.015 278	.056 944	.098 611	.140 278	.181 944	.223 611
23	.015 972	.057 639	.099 306	.140 972	.182 639	.224 306
24	.016 667	.058 333	.100 000	.141 667	.183 333	.225 000
25	0.017 361	0.059 028	0.100 694	0.142 361	0.184 028	0.225 694
26	.018 056	.059 722	.101 389	.143 056	.184 722	.226 389
27	.018 750	.060 417	.102 083	.143 750	.185 417	.227 083
28	.019 444	.061 111	.102 778	.144 444	.186 111	.227 778
29	.020 139	.061 806	.103 472	.145 139	.186 806	.228 472
30	0.020 833	0.062 500	0.104 167	0.145 833	0.187 500	0.229 167
31	.021 528	.063 194	.104 861	.146 528	.188 194	.229 861
32	.022 222	.063 889	.105 556	.147 222	.188 889	.230 556
33	.022 917	.064 583	.106 250	.147 917	.189 583	.231 250
34	.023 611	.065 278	.106 944	.148 611	.190 278	.231 944
35	0.024 306	0.065 972	0.107 639	0.149 306	0.190 972	0.232 639
36	.025 000	.066 667	.108 333	.150 000	.191 667	.233 333
37	.025 694	.067 361	.109 028	.150 694	.192 361	.234 028
38	.026 389	.068 056	.109 722	.151 389	.193 056	.234 722
39	.027 083	.068 750	.110 417	.152 083	.193 750	.235 417
40	0.027 778	0.069 444	0.111 111	0.152 778	0.194 444	0.236 111
41	.028 472	.070 139	.111 806	.153 472	.195 139	.236 806
42	.029 167	.070 833	.112 500	.154 167	.195 833	.237 500
43	.029 861	.071 528	.113 194	.154 861	.196 528	.238 194
44	.030 556	.072 222	.113 889	.155 556	.197 222	.238 889
45	0.031 250	0.072 917	0.114 583	0.156 250	0.197 917	0.239 583
46	.031 944	.073 611	.115 278	.156 944	.198 611	.240 278
47	.032 639	.074 306	.115 972	.157 639	.199 306	.240 972
48	.033 333	.075 000	.116 667	.158 333	.200 000	.241 667
49	.034 028	.075 694	.117 361	.159 028	.200 694	.242 361
50	0.034 722	0.076 389	0.118 056	0.159 722	0.201 389	0.243 056
51	.035 417	.077 083	.118 750	.160 417	.202 083	.243 750
52	.036 111	.077 778	.119 444	.161 111	.202 778	.244 444
53	.036 806	.078 472	.120 139	.161 806	.203 472	.245 139
54	.037 500	.079 167	.120 833	.162 500	.204 167	.245 833
55	0.038 194	0.079 861	0.121 528	0.163 194	0.204 861	0.246 528
56	.038 889	.080 556	.122 222	.163 889	.205 556	.247 222
57	.039 583	.081 250	.122 917	.164 583	.206 250	.247 917
58	.040 278	.081 944	.123 611	.165 278	.206 944	.248 611
59	0.040 972	0.082 639	0.124 306	0.165 972	0.207 639	0.249 306

Table 5(a) (suite)

	HEURES					
	6	7	8	9	10	11
M	Fractions décimales					
0	0.250 000	0.291 667	0.333 333	0.375 000	0.416 667	0.458 333
1	.250 694	.292 361	.334 028	.375 694	.417 361	.459 028
2	.251 389	.293 056	.334 722	.376 389	.418 056	.459 722
3	.252 083	.293 750	.335 417	.377 083	.418 750	.460 417
4	.252 778	.294 444	.336 111	.377 778	.419 444	.461 111
5	0.253 472	0.295 139	0.336 806	0.378 472	0.420 139	0.461 806
6	.254 167	.295 833	.337 500	.379 167	.420 833	.462 500
7	.254 861	.296 528	.338 194	.379 861	.421 528	.463 194
8	.255 556	.297 222	.338 889	.380 556	.422 222	.463 889
9	.256 250	.297 917	.339 583	.381 250	.422 917	.464 583
10	0.256 944	0.298 611	0.340 278	0.381 944	0.423 611	0.465 278
11	.257 639	.299 306	.340 972	.382 639	.424 306	.465 972
12	.258 333	.300 000	.341 667	.383 333	.425 000	.466 667
13	.259 028	.300 694	.342 361	.384 028	.425 694	.467 361
14	.259 722	.301 389	.343 056	.384 722	.426 389	.468 056
15	0.260 417	0.302 083	0.343 750	0.385 417	0.427 083	0.468 750
16	,261 111	.302 778	.344 444	.386 111	.427 778	.469 444
17	.261 806	.303 472	.345 139	.386 806	.428 472	.470 139
18	.262 500	.304 167	.345 833	.387 500	.429 167	.470 833
19	.263 194	.304 861	.346 528	.388 194	.429 861	.471 528
20	0.263 889	0.305 556	0.347 222	0.388 889	0.430 556	0.472 222
21	.264 583	.306 250	.347 917	.389 583	.431 250	.472 917
22	.265 278	.306 944	.348 611	.390 278	.431 944	.473 611
23	.265 972	.307 639	.349 306	.390 972	.432 639	.474 306
24	.266 667	.308 333	.350 000	.391 667	.433 333	.475 000
25	0.267 361	0.309 028	0.350 694	0.392 361	0.434 028	0.475 694
26	.268 056	.309 722	.351 389	.393 056	.434 722	.476 389
27	.268 750	.310 417	.352 083	.393 750	.435 417	.477 083
28	.269 444	.311 111	.352 778	.394 444	.436 111	.477 778
29	.270 139	.311 806	.353 472	.395 139	.436 806	.478 472
30	0.270 833	0.312 500	0.354 167	0.395 833	0.437 500	0.479 167
31	.271 528	.313 194	.354 861	.396 528	.438 194	.479 861
32	.272 222	.313 889	.355 556	.397 222	.438 889	.480 556
33	.272 917	.314 583	.356 250	.397 917	.439 583	.481 250
34	.273 611	.315 278	.356 944	.398 611	.440 278	.481 944
35	0.274 306	0.315 972	0.357 639	0.399 306	0.440 972	0.482 639
36	.275 000	.316 667	.358 333	.400 000	.441 667	.483 333
37	.275 694	.317 361	.359 028	.400 694	.442 361	.484 028
38	.276 389	.318 056	.359 722	.401 389	.443 056	.484 722
39	.277 083	.318 750	.360 417	.402 083	.443 750	.485 417
40	0.277 778	0.319 444	0.361 111	0.402 778	0.444 444	0.486 111
41	278 472	.320 139	.361 806	.403 472	.445 139	.486 806
42	.279 167	.320 833	.362 500	.404 167	.445 833	.487 500
43	.279 861	.321 528	.363 194	.404 861	.446 528	.488 194
44	.280 556	.322 222	.363 889	.405 556	.447 222	.488 889
45	0.281 250	0.322 917	0.364 583	0.406 250	0.447 917	0.489 583
46	.281 944	.323 611	.365 278	.406 944	.448 611	.490 278
47	.282 639	.324 306	.365 972	.407 639	.449 306	.490 972
48	.283 333	.325 000	.366 667	.408 333	.450 000	.491 667
49	.284 028	.325 694	.367 361	.409 028	.450 694	.492 361
50	0.284 722	0.326 389	0.368 056	0.409 722	0.451 389	0.493 056
51	.285 417	.327 083	.368 750	.410 417	.452 083	.493 750
52	.286 111	.327 778	.369 444	.411 111	.452 778	.494 444
53	.286 806	.328 472	.370 139	.411 806	.453 472	.495 139
54	.287 500	.329 167	.370 833	.412 500	.454 167	.495 833
55	0.288 194	0.329 861	0.371 528	0.413 194	0.454 861	0.496 528
56	.288 889	.330 556	.372 222	.413 889	.455 556	.497 222
57	.289 583	.331 250	.372 917	.414 583	.456 250	.497 917
58	.290 278	.331 944	.373 611	.415 278	.456 944	.498 611
59	0.290 972	0.332 639	0.374 306	0.415 972	0.457 639	0.499 306

Table 5(b): Minutes exprimées en fractions décimales de degré ou d'heure — Secondes exprimées en fractions décimales de minute

′ ″	Fractions décimales	′ ″	Fractions décimales
1	0,0166	31	0.5166
2	.0333	32	.5333
3	.0500	33	.5500
4	.0666	34	.5666
5	.0833	35	.5833
6	.1000	36	.6000
7	.1166	37	.6166
8	.1333.	38	.6333
9	.1500	39	.6500
10	.1666	40	.6666
11	.1833	41	.6833
12	.2000	42	.7000
13	.2166	43	.7166
14	.2333	44	.7333
15	.2500	45	.7500
16	.2666	46	.7666
17	.2833	47	.7833
18	.3000	48	.8000
19	.3166	49	.8166
20	.3333	50	.8333
21	.3500	51	.8500
22	.3666	52	.8666
23	.3833	53	.8833
24	.4000	54	.9000
25	.4166	55	.9166
26	.4333	56	.9333
27	.4500	57	.9500
28	.4666	58	.9666
29	.4833	59	.9833
30	.5000		

Table 6 (a): Heures d'été en France (1 h d'avance sur H.G.)

	Début (à 23 h)						Fin (à 24 h)					
	Janv.	Fév.	Mars	Avril	Mai	Juin	Juil.	Août	Sept.	Oct.	Nov.	Déc.
1916						14				1		
1917			24							7		
1918			9							6		
1919			1							5		
1920		14								25		
1921			14							25		
1922			25							7		
1923					26					6		
1924			29							4		
1925				4						3		
1926				17						2		
1927				9						1		
1928				14						6		
1929				20						5		
1930				12						4		
1931				18						3		
1932				2						1		
1933			25							7		
1934				7						6		
1935			30							5		
1936				18						3		
1937				3						2		
1938			26							1		
1939				15							18	
1940		24										31
* 1941					4					5		
* 1942			8			(à 24 h)					2	(à 3 h)
* 1943			29			(à 3 h)				4		(à 3 h)
* 1944				3		(à 2 h)				8		(à 0 h)
* 1945				2		(à 2 h)			16			(à 3 h)
de 1946 à nos jours	L'heure de l'Europe centrale (+1 h) s'applique en permanence, sans heure d'été											

* Avance de 2 h pour la période indiquée et de 1 h le reste de l'année. Pour la période 1940-1942, ces indications concernent la zone *libre* seulement.

Pour la zone *occupée*, les indications suivantes sont valables pour Paris.

	Janv.	Fév.	Mars	Avril	Mai	Juin	Juil.	Août	Sept.	Oct.	Nov.	Déc.
* 1940				31		15	(à 11 h)					31
* 1941	1											31
* 1942	1										2	(à 3 h)

Table 6 (b) Heures d'été en Belgique (1 h d'avance sur H.G.)

	Début						Fin					
	Janv.	Fév.	Mars	Avril	Mai	Juin	Juil.	Août	Sept.	Oct.	Nov.	Déc.
* 1916				30						1		
* 1917				16					17			
* 1918				15					16			
1919			1			(à 23 h)				4		(à 24 h)
1920		14				(à 23 h)				23		”
1921			14			(à 23 h)				25		”
1922			25			(à 23 h)				7		”
1923				21		(à 23h)				6		”
1924			29			(à 23 h)				4		”
1925				4		(à 23 h)				3		”
1926				17		(à 23 h)				2		”
1927				9		(à 23 h)				1		(à 3 h)
1928				14		(à 23 h)				7		”
1929				21		(à 2 h)				6		”
1930				13		(à 2 h)				5		”
1931				19		(à 2 h)				4		”
1932				17		(à 2 h)				2		”
1933			26			(à 2 h)				8		”
1934				8		(à 2 h)				7		”
1935			31			(à 2 h)				6		(à 2 h)
1936				19		(à 2 h)				4		”
1937				4		(à 2 h)				3		”
1938			27			(à 2 h)				2		”
1939				16		(à 2 h)					18	(à 24 h)
* 1940					19	(à 2 h)						31
* 1941	1					(à 2 h)						31

* 1942	1					(à 2 h)					2	(à 3 h)
* 1943			29			(à 2 h)				4		,,
* 1944				3		(à 2 h)			17			,,
* 1945				2		(à 2 h)			16			,,
1946					19	(à 2 h)				7		,,
de 1947 à nos jours	L'heure de l'Europe centrale (+1 h) s'applique en permanence, sans heure d'été											

* Avance de 2 h pour la période indiquée et de 1 h le reste de l'année.

Table (c) Heures d'été au Luxembourg (1 h d'avance sur H.G.)

	Début						Fin					
	Janv.	Fév.	Mars	Avril	Mai	Juin	Juil.	Août	Sept.	Oct.	Nov.	Déc.
1916			1			(à 23 h)			30			(à 10 h)
1917				30		,,			30			(à 1 h)
1918				15		(à 2 h)			16			(à 3 h)
1919				15		,,			15			,,
1920		14				(à 23 h)				25		(à 2 h)
1921			14			,,				26		,,
1922			25			,,				8		(à 1 h)
1923				21		,,				7		(à 2 h)
1924			29			,,				5		(à 1 h)
1925				17		,,				4		(à 2 h)
1926				16		,,				3		(à 1 h)
1927				9		,,				2		,,
1928				18		,,				7		,,
1929				21		,,				6		(à 3 h)
1930				13		(à 2 h)				5		,,
1931				19		,,				4		,,
1932				17		,,				2		,,
1933			26			,,				8		,,
1934				8		,,				7		,,
1935			31			,,				6		,,
1936				19		,,				4		,,
1937				4		,,				3		,,

1938			27			”				2		”
1939				16		”					19	”
1940		25				”						
* 1940					10							31
* 1941	1											31
* 1942	1										2	
* 1943			29							3		
* 1944				3						7		
* 1945				2					16			
de 1946 à nos jours	L'heure de l'Europe centrale (+ 1 h) s'applique en permanence, sans heure d'été.											

* Avance de 2 h pour la période indiquée et de 1 h le reste de l'année.

Table 6 (d) Heures d'été en Suisse (Voir table 6 (a), sauf pour les dates ci-dessous)

	Début						Fin					
	Janv.	Fév.	Mars	Avril	Mai	Juin	Juil.	Août	Sept.	Oct.	Nov.	Déc.
* 1941					5					6		
* 1942					4					5		

* Avance de 2 h pour la période indiquée et de 1 h le reste de l'année.

Table 6 (e): Heures d'été au Québec*

	Début						Fin					
	Janv.	Fév.	Mars	Avril	Mai	Juin	Juil.	Août	Sept.	Oct.	Nov.	Déc.
1918				14		(à 2 h)				31		(à 24 h)
1919			31			(à 2 h 30)				25		(à 2 h 30)

	Début						Fin					
	Janv.	Fév.	Mars	Avril	Mai	Juin	Juil.	Août	Sept.	Oct.	Nov.	Déc.
1920					2	(à 2h 30)				3		(à 2h 30)
1921					1	(à 2 h)				2		”
1922				30		(à 2 h)				1		”
1923					13	(à2 h)			30			

À Montréal

	Janv.	Fév.	Mars	Avril	Mai	Juin	Juil.	Août	Sept.	Oct.	Nov.	Déc.
1924					17	(à 2 h)			28			(à 2 h 30)
1925					3	”			27			”
1926					2	”			26			”
1927					1	(à 0 h)			25			(à 0 h)
de 1928 à nos jours	(Du dernier dimanche d'avril, à 0 h, au dernier samedi de septembre, à 24 h)											

À Québec

	Janv.	Fév.	Mars	Avril	Mai	Juin	Juil.	Août	Sept.	Oct.	Nov.	Déc.
1924				27		(à 0 h)			28		(à 0 h)	
1925				26		”			27		”	
1926				25		”			26		”	
1927					1	”			25		”	
de 1928 à nos jours	(Comme à Montréal)											

* Le Québec est en retard de 5 h sur l'heure de Greenwich. L'heure d'été est en avance de 1 h sur le reste de l'année.

Table 7: HEURES LÉGALES (corrigées jusqu'en sept. 1977)*

LISTE 1 — LOCALITÉS EN AVANCE SUR GREENWICH
(situées pour la plupart À L'EST DE GREENWICH)

Les heures indiquées ci-dessous doivent être *ajoutées* à H.G. pour donner l'heure légale / *retranchées* de l'heure légale pour donner H.G.

	h	m
Afghanistan	04	30
Afrique centrale	01	
Afrique du Sud	02	
Albanie*	01	
Algérie‡*	01	
Allemagne	01	
Angola	01	
Arabie Saoudite	03	
Archipel Chagos	05	
Australie		
Australie du Sud*	09	30
Australie occidentale	08	
La capitale et ses environs*	10	
Nouvelles Galles du Sud[1]*	10	
Queensland	10	
Tasmanie*	10	
Territoire du Nord	09	30
Victoria*	10	
Autriche*	01	
Bangladesh	06	
Belgique*	01	
Bénin (Dahomey)	01	
Birmanie	06	30
Brunei	08	
Bulgarie	02	
Burundi	02	
Cambodge (Kampuchea)	07	
Chine[2]	08	
Chypre*	02	
Comores	03	
Corée	09	
Corse‡*	01	
Crète	02	
Danemark	01	
Djibouti	03	
Égypte	02	
Espagne*	01	
Estonie	03	
Éthiopie	03	
Fédération des Émirats Arabes	04	
Fernando-Po‡	01	
Fidji	12	
Finlande	02	
France*	01	
Gabon	01	
Gibraltar‡	01	
Grèce*	02	
Guam*	10	
Guinée équatoriale	01	
Hollande (Pays-Bas)*	01	
Hong Kong	08	
Hongrie	01	
Île Annobon‡	01	
Île Christmas	07	
Île de la Réunion	04	
Île de Lord Howe	10	
Île Maurice	04	
Île Océan	11	30
Île Wrangell	13	
Îles Amirantes	04	
Îles Andaman	05	30
Îles Baléares*	01	

*L'heure d'été peut être conservée dans ces pays.
‡L'heure légale peut différer de celle donnée ici.
[1] Sauf dans la région de Broken Hill qui reste à 9 h 30.
[2] Toute la région côtière, sauf certaines localités qui peuvent garder l'heure d'été.

Îles Carolines
long. 160° est 12
long. 150° est 10
Truk, Ponape 11
Îles Chathan‡ 12 45
Îles de l'Amirauté 10
Îles des Amis (Tonga) 13
Îles des Cocos 06 30
Îles Gilbert 12
Îles Kuril 11
Îles Laccadive 05 30
Îles Ladrone 10
Îles Maldives 05
Îles Mariannes 10
Îles Marshall[3] 12
Îles Nicobar 05 30
Îles Norfolk 11 30
Îles Pescadores 08
Îles Ryukyu 09
Îles Salomon 11
Îles Santa Cruz 11
Îles Schouten 09
Îles Tonga 13
Îles Tuvalu 12
Inde 05 30
Indonésie
Bali, Bangka, Billiton,
Java, Lombok, Madura,
Sumatra 07
Bornéo, Célébes, Flores.
Sumba, Sumbawa, Timor ... 08
Aru, Kei, Moluques,
Tanimbar, Irian Jaya 09
Iran* 03 30
Iraq 03
Israël* 02
Italie* 01

Japon 09
Jordanie 02

Kenya 03
Kuwait 03

Laos 07
Latvie 03
Lesotho 02
Liban 02
Liechtenstein 01
Luxembourg* 01
Lybie‡ 02

Macao 08
Malaisie
Malaya 07 30
Sabah, Sarawak 08
Malawi 02
Malte* 01
Mandchourie 09
Maroc espagnol* 01
Monaco* 01
Mozambique 02

Namibie 02
Naourou 11 30
Nigéria 01
Nouvelle-Calédonie 11
Nouvelles-Hébrides 11
Nouvelle-Zélande* 12
Norvège 01
Novaya Zemlya 05

Okinawa 09
Oman 04

Pakistan 05
Papouasie 10
Pays-Bas* 01
Péninsule du Kamchatka 12
Pologne* 01

Rép. de Botswana 02
Rép. des Philippines* 08
Rép. du Cameroun 01
Rép. du Congo 01
Rép. du Niger 01
Rép. du Tchad 01
Rép. Malgache 03
Rhodésie 02
Roumanie 02
Rwanda 02

Sakhaline 11
Sardaigne* 01
Seychelles 04
Sicile* 01
Singapour 07 30
Socotra 03
Somalie 03
Soudan 02
Spitsberg 01
Sri Lanka 05 30
Sud Yemen 03

[3]Sauf les îles Kwajalein et Eniwetok, qui ont un retard de 24 heures sur les autres îles.

Suède 01
Suisse 01
Swaziland 02
Syrie* 02

Taïwan 08
Tanzanie 03
Tchécoslovaquie 01
Thaïlande 07
Truk 11
Tunisie* .01
Turquie* .02

Uganda .03
U.R.S.S.
  à l'ouest de long. 40°E 03
  long. 40°E à 52°30'E 04
  long. 52°30'E à 67°30'E 05
  long. 67°30'E à 82°30'E 06
  long. 82°30'E à 97°30'E 07
  long. 97°30'E à 112°30'E 08
  long. 112°30'E à 127°30'E . . .09
  long. 127°30'E à 142°30'E . . .10
  long. 142°30'E à 157°30'E . . .11
  long. 157°30'E à 172°30'E . . .12
  à l'est de long. 172°30'E 13

Viêt-Nam du Nord 07
Viêt-Nam du Sud‡ 07

Yougoslavie 01

Zaïre
  Kinshasa, Mbandaka 01
  Haut-Zaïre, Kivu,
  Kasai, Shaba 02
Zambie 02

LISTE II — LOCALITÉS UTILISANT L'HEURE DE GREENWICH

Féroé
Gambie
Ghana
Grande-Bretagne*
Guinée-Bissau
Haute-Volta
Ifni
Îles anglo-normandes
  (ou de la Manche)*
Îles Canaries[1]
Îles de l'Ascension
Irlande du Nord*
Islande
Liberia
Madère
Mali
Maroc
Mauritanie
Portugal[1]
Rép. de Guinée
Rép. de la Côte d'Ivoire
Rép. d'Irlande[1]
Rép. du Togo
Rio de Oro[2]
Sainte-Hélène
São Tomé
Sénégal
Sierra Leone
Tanger
Tristan da Cunha

*L'heure d'été (une heure d'avance sur H.G.) s'applique du 16 mars au 26 octobre.
[1]L'heure d'été peut être conservée dans ces pays.
[2]L'heure légale peut différer de celle donnée ici.

LISTE III — LOCALITÉS EN RETARD SUR GREENWICH (SITUÉES À L'OUEST DE GREENWICH)

Les heures indiquées ci-dessous doivent être *retranchées* de H.G. pour donner l'heure légale / *ajoutées* à l'heure légale pour donner H.G.

h m

Açores 01
Archipel Low 10
Archipel Tuamotu[1] 10
Argentine‡ 03

Bahamas* 05
Barbades 04
Bélize* 06
Bermudes* 04
Bolivie 04
Brésil, est* 03
  Territoire d'Acre 05
  ouest .04

Canada

- Alberta* 07
- Colombie Britannique* 08
- Île-du-Prince-Édouard* 04
- Labrador* 04
- Manitoba* 06
- Nouveau-Brunswick* 04
- Nouvelle-Écosse* 04
- Ontario*
  - à l'est de la long. 90°o 05
  - à l'ouest de la long. 90°o 06
- Québec*
  - à l'est de la long. 63°o 04
  - à l'ouest de la long. 63°o 05
- Saskatchewan*
  - à l'est de la long. 106°o 06
  - à l'ouest de la long. 106°o 07
- Terre-Neuve* 03 30
- Territoires du Nord-Ouest*
  - à l'est de la long. 68°o 04
  - entre les long. 68°o et 85°o 05
  - entre les long. 85°o et 102°o 06
  - à l'ouest de la long. 102°o 07
- Yukon 08

Chili‡ 03

Colombie 05

Costa Rica 06

Cuba* 05

Équateur 05

États-Unis d'Amérique

- Alabama[7] 06
- Alaska
  - à l'est de la long. 130°o 08
  - entre les long. 137°o et 141°o 09
  - entre les long 141°o et 161°o 10
  - entre les long. 161°o et 172°30'o 11
  - Îles Aléoutiennes 11
- Arizona 07
- Arkansas[7] 06
- Californie[7] 08
- Caroline du Nord[7] 05
- Caroline du Sud[7] 05
- Colorado[7] 07
- Connecticut[7] 05
- Delaware[7] 05
- Distr. de Columbia[7] 05
- Floride[7,8] 05
- Georgie[7] 05
- Hawaï 10
- Idaho[7,8] 07
- Illinois[7] 06
- Indiana[8] 05
- Iowa[7] 06
- Kansas[7,8] 06
- Kentucky[7,8] 05
- Louisiane[7] 06
- Maine[7] 05
- Maryland[7] 05
- Massachussetts[7] 05
- Michigan[7,8] 05
- Minnesota[7] 06
- Mississipi[7] 06
- Missouri[7] 06
- Montana[7] 07
- Nébraska[7,8] 06
- Nevada[7] 08
- New Hampshire[7] 05
- New Jersey[7] 05
- New York[7] 05
- Nord-Dakota[7,8] 06
- Nouveau-Mexique[7] 07
- Ohio[7] 05
- Oklahoma[7] 06
- Oregon[7,8] 08
- Ouest-Virginie[7] 05
- Pennsylvanie[7] 05
- Rhode Island[7] 05
- Sud-Dakota[7],
  - partie orientale 06
  - partie occidentale 07
- Tennessee[7,8] 06
- Texas[7] 06
- Utah[7,8] 07
- Vermont[7] 05
- Virginie[7] 05
- Washington 05
- Wisconsin[7] 06
- Wyoming[7] 07

Géorgie du Sud 02

Grenade 04

Groenland

- Scoresby Sound[5] 02
- Angmagssalik et côte ouest 03
- Région de Thulé 04

Guadeloupe 04

Guatemala 06

Guyana‡ 03

Guyane française‡ 03

Haïti 05

Honduras 06

Île Christmas 10

Île de Curaçao 04

Île de Pâques* 07

Lieu	h	min
Île Fernando de Noronha	02	
Île Jan Mayen	01	
Île Johnston	10	
Île Niue	11	
Îles Australes[1]	10	
Îles Caïman	05	
Îles de Cook	10	30
Îles du Cap-Vert‡	01	
Îles du Vent	04	
Îles Falkland[4]	04	
Îles Fanning	10	
Îles Galapagos	06	
Îles Juan Fernandez	04	
Îles Marquises[1]	09	30
Îles Society[1]	10	
Îles Sous-le-Vent	04	
Îles Tubuai[1]	10	
Îles Turques*	05	
Îles Vierges	04	
Jamaïque*	05	
Martinique	04	
Mexique‡*[6]	06	
Miquelon	03	
Nicaragua‡	06	
Rarotonga	10	30
Rép. de Panama	05	
Rép. Dominicaine‡	04	
Paraguay*	04	
Pérou	05	
Porto Rico	04	
Saint-Pierre-et-Miquelon	03	
Salvador	06	
Samoa	11	
Surinam	03	30
Territoire antarctique britannique[3]	03	
Tobago	04	
Trindade	02	
Trinidade	04	
Uruguay	03	
Vénézuela‡	04	
Zone du Canal de Panama	05	

* L'heure d'été peut être conservée dans ces pays.
‡ L'heure légale peut différer de celle donnée ici.
[1] Il s'agit ici de l'heure légale, mais l'heure locale est généralement utilisée.
[2] Y compris la côte de Brasilia.
[3] Géorgie du Sud exceptée, qui conserve 02 h d'écart.
[4] Port Stanley excepté, qui conserve 03 h d'écart‡.
[5] Scoresby Sound conserve 03 h d'écart durant l'été.
[6] États de Sonora, Sinaloa et Nayarit exceptés, ainsi que le district sud de la Basse-Californie, qui conservent 07 h d'écart, de même que le district nord de la Basse-Californie, qui conserve 08 h d'écart.
[7] L'heure d'été (en avance d'une heure sur l'heure normale) s'applique dans ces États du dernier dimanche d'avril au dernier dimanche d'octobre.
[8] Appliqué sur presque tout le territoire.

* Reproduit à partir du *Nautical Almanac 1980*, avec la permission du Directeur de publication de Her Majesty's Stationery Office.

Table 8 (a): Extraits des *Raphael's Ephemeris* (Janvier 1980)

NOUVELLE LUNE — 17 janvier, 21 h 19 (26° ♑ 55')

2					JANVIER 1980				[RAPHAEL'S	
D	J	Temps sidéral	☉ Long.	☉ Décl.	☽ Long.	☽ Lat.	☽ Décl.	☽ Noeud	MINUIT ☽ Long.	MINUIT ☽ Décl.
		h m s	° ' "	° '	° ' "	° '	° '	° '	° ' "	° '
1	Ma	18 41 13	10♑13 25	23 S 3	29♊43 43	4 S 28	18 N 59	1♍52	6♋14 44	19 N 9
2	Me	18 45 10	11 14 33	22 58	12♋41 54	3 47	19 4	1 49	19 5 8	18 44
3	Je	18 49 6	12 15 41	22 52	25 24 24	2 56	18 11	1 46	1♌39 47	17 24
4	Ve	18 53 3	13 16 50	22 47	7♌51 22	1 57	16 25	1 43	13 59 22	15 16
5	Sa	18 56 59	14 17 58	22 40	20 4 3	0 S 54	13 57	1 40	26 5 44	12 29
6	Di	19 0 56	15 19 6	22 34	2♍4 50	0 N 11	10 55	1 36	8♍1 48	9 14
7	Lu	19 4 52	16 20 15	22 26	13 57 8	1 15	7 28	1 33	19 51 23	5 38
8	Ma	19 8 49	17 21 23	22 19	25 45 9	2 15	3 N 46	1 30	1♎39 4	1 N 51
9	Me	19 12 46	18 22 32	22 11	7♎33 45	3 10	0 S 5	1 27	13 29 52	2 S 2
10	Je	19 16 42	19 23 40	22 2	19 28 6	3 57	3 58	1 24	25 29 4	5 52
11	Ve	19 20 39	20 24 49	21 53	1♏33 27	4 34	7 44	1 20	7♏41 49	9 32
12	Sa	19 24 35	21 25 58	21 44	13 54 46	4 59	11 15	1 17	20 12 48	12 52
13	Di	19 28 32	22 27 6	21 34	26 36 20	5 11	14 21	1 14	3♐5 44	15 41
14	Lu	19 32 28	23 28 15	21 24	9♐41 12	5 7	16 51	1 11	16 22 53	17 47
15	Ma	19 36 25	24 29 23	21 13	23 10 45	4 46	18 30	1 8	0♑4 37	18 57
16	Me	19 40 21	25 30 31	21 2	7♑4 11	4 8	19 7	1 5	14 9 0	19 0
17	Je	19 44 18	26 31 39	20 51	21 18 29	3 14	18 34	1 1	28 31 56	17 49
18	Ve	19 48 15	27 32 46	20 39	5♒48 34	2 6	16 47	0 58	13♒7 33	15 28
19	Sa	19 52 11	28 33 53	20 27	20 28 0	0 N 49	13 53	0 55	27 49 3	12 5
20	Di	19 56 8	29♑34 59	20 14	5♓9 53	0 S 31	10 6	0 52	12♓29 43	7 58
21	Lu	20 0 4	0♒36 4	20 1	19 47 53	1 49	5 43	0 49	27 3 46	3 S 24
22	Ma	20 4 1	1 37 8	19 48	4♈16 54	3 0	1 S 3	0 46	11♈26 52	1 N 18
23	Me	20 7 57	2 38 11	19 34	18 33 24	3 58	3 N 36	0 42	25 36 17	5 50
24	Je	20 11 54	3 39 13	19 20	2♉35 24	4 41	7 58	0 39	9♉30 40	9 59
25	Ve	20 15 50	4 40 14	19 6	16 22 5	5 7	11 50	0 36	23 9 41	13 31
26	Sa	20 19 47	5 41 14	18 51	29 53 30	5 15	15 0	0 33	6♊33 37	16 16
27	Di	20 23 44	6 42 13	18 36	13♊10 7	5 6	17 19	0 30	19 43 5	18 8
28	Lu	20 27 40	7 43 11	18 20	26 12 36	4 41	18 42	0 26	2♋38 45	19 1
29	Ma	20 31 37	8 44 7	18 5	9♋1 37	4 3	19 6	0 23	15 21 18	18 55
30	Me	20 35 33	9 45 3	17 49	21 37 53	3 13	18 31	0 20	27 51 28	17 54
31	Je	20 39 30	10♒45 57	17 S 32	4♌2 11	2 S 15	17 N 4	0♍17	10♌10 8	16 N 2

D	Mercure Lat.	Mercure Décl.		Vénus Lat.	Vénus Décl.		Mars Lat.	Mars Décl.		Jupiter Lat.	Jupiter Décl.
	° '	° '	° '	° '	° '	° '	° '	° '	° '	° '	° '
1	0 S 38	24 S 4	24 S 11	1 S 48	18 S 55	18 S 34	3 N 9	9 N 11	9 N 9	1 N 8	8 N 48
3	0 51	24 16	24 21	1 47	18 12	17 50	3 13	9 7	9 5	1 8	8 49
5	1 3	24 24	24 25	1 46	17 27	17 4	3 16	9 4	9 3	1 9	8 51
7	1 14	24 25	24 24	1 45	16 40	16 16	3 20	9 2	9 2	1 9	8 53
9	1 24	24 22	24 18	1 44	15 52	15 27	3 24	9 1	9 1	1 10	8 55
11	1 33	24 13	24 6	1 42	15 1	14 36	3 28	9 2	9 2	1 10	8 58
13	1 42	23 58	23 49	1 40	14 10	13 43	3 32	9 3	9 4	1 11	9 1
15	1 49	23 38	23 25	1 37	13 16	12 49	3 36	9 6	9 8	1 11	9 4
17	1 55	23 11	22 56	1 34	12 21	11 54	3 40	9 10	9 12	1 12	9 8
19	2 0	22 39	22 21	1 31	11 26	10 57	3 44	9 14	9 17	1 12	9 11
21	2 3	22 1	21 39	1 28	10 28	9 59	3 48	9 21	9 24	1 13	9 15
23	2 5	21 16	20 51	1 24	9 30	9 1	3 52	9 28	9 32	1 13	9 19
25	2 5	20 25	19 57	1 19	8 31	8 1	3 55	9 36	9 41	1 14	9 24
27	2 3	19 28	18 57	1 15	7 31	7 1	3 59	9 46	9 51	1 14	9 28
29	2 0	18 25	17 S 52	1 10	6 31	6 S 0	4 2	9 56	10 N 2	1 15	9 33
31	1 S 54	17 S 16		1 S 5	5 S 29		4 N 5	10 N 8		1 N 15	9 N 38

PREMIER QUARTIER — 24 janvier, 13 h 58 (3° ♉ 44')

PLEINE LUNE — 2 janvier, 9 h 02 (11° ♋ 7')

EPHEMERIS]			JANVIER 1980															3
D	☿ Long.	♀ Long.	♂ Long.	♃ Long.	♄ Long.	♅ Long.	♆ Long.	♇ Long.	Aspects lunaires ☉	☿	♀	♂	♃	♄	♅	♆	♇	
	° ′	° ′	° ′	° ′	° ′	° ′	° ′	° ′										
1	28 ♐ 43	12 ♒ 1	14 ♍ 3	10 ♍ 11	27 ♍ 0	24 ♏ 4	20 ♐ 57	21 ♎ 37		☍	⚼			□				
2	0 ♑ 15	13 15	14 13	10 ℞ 10	27 0	24 7	20 59	21 38	☍			⚹	⚹		⚼			
3	1 47	14 29	14 22	10 9	27 1	24 10	21 1	21 39				∠	∠	⚹	△		□	
4	3 20	15 43	14 31	10 7	27 1	24 13	21 3	21 39					⚺	∠		⚼		
5	4 53	16 56	14 39	10 5	27 1	24 15	21 5	21 40		⚼	☍	⚺			□	△	⚹	
Di	6 27	18 10	14 46	10 3	27 1	24 18	21 7	21 41	⚼	△				⚺			∠	
7	8 0	19 24	14 53	10 1	27 ℞ 1	24 21	21 9	21 41	△			☌	●					
8	9 35	20 38	14 59	9 59	27 1	24 23	21 11	21 42						●	⚹	□	⚺	
9	11 9	21 51	15 4	9 56	27 1	24 26	21 14	21 42		□	⚼		⚺		∠			
10	12 44	23 5	15 8	9 53	27 0	24 28	21 16	21 43	□		△	⚺	∠		⚺	⚹	☌	
11	14 20	24 18	15 12	9 50	27 0	24 31	21 18	21 43				∠		⚺		∠		
12	15 55	25 32	15 15	9 47	26 59	24 34	21 20	21 44		⚹		⚹	⚹	∠				
Di	17 32	26 45	15 18	9 44	26 59	24 36	21 22	21 44	⚹		□			⚹	☌	⚺	⚺	
14	19 9	27 59	15 20	9 40	26 58	24 38	21 24	21 45	∠	∠		□	□				∠	
15	20 46	29 ♒ 12	15 21	9 37	26 57	24 41	21 26	21 45	⚺	⚺	⚹			□	⚺	☌	⚹	
16	22 24	0 ♓ 26	15 ℞ 21	9 33	26 56	24 43	21 28	21 45					△		∠			
17	24 2	1 39	15 20	9 29	26 55	24 45	21 30	21 46	☌	☌	∠	△	⚼	△	⚹	⚺	□	
18	25 41	2 52	15 19	9 25	26 54	24 47	21 32	21 46			⚺	⚼		⚼		∠		
19	27 20	4 5	15 17	9 20	26 53	24 50	21 33	21 46							□	⚹	△	
Di	29 ♑ 0	5 18	15 14	9 16	26 51	24 52	21 35	21 46	⚺	⚺	●		☍				⚼	
21	0 ♒ 41	6 32	15 10	9 11	26 50	24 54	21 37	21 46	∠	∠		☍		☍	△	□		
22	2 22	7 45	15 6	9 6	26 48	24 56	21 39	21 46	⚹	⚹	⚺				⚼			
23	4 3	8 58	15 0	9 1	26 46	24 58	21 41	21 47			∠		⚼			△	☍	
24	5 45	10 10	14 54	8 56	26 44	25 0	21 43	21 47	□	□		⚼	△			⚼		
25	7 28	11 23	14 48	8 51	26 42	25 2	21 44	21 ℞ 47			⚹	△		⚼				
26	9 12	12 36	14 40	8 45	26 40	25 3	21 46	21 47	△					△	☍			
Di	10 55	13 49	14 31	8 39	26 38	25 5	21 48	21 46		△	□	□	□				⚼	
28	12 40	15 1	14 22	8 34	26 36	25 7	21 50	21 46	⚼	⚼				□		☍	△	
29	14 25	16 14	14 12	8 27	26 34	25 8	21 51	21 46				⚹	⚹		⚼			
30	16 10	17 26	14 1	8 21	26 31	25 10	21 53	21 46			△		∠	⚹	△		□	
31	17 ♒ 55	18 ♓ 38	13 ♍ 50	8 ♍ 15	26 ♍ 29	25 ♏ 12	21 ♐ 55	21 ♎ 46			⚼	∠	⚺			⚼		

D	Saturne Lat.	Saturne Décl.	Uranus Lat.	Uranus Décl.	Neptune Lat.	Neptune Décl.	Pluton Lat.	Pluton Décl.
	° ′	° ′	° ′	° ′	° ′	° ′	° ′	° ′
1	2N10	3N11	0N17	18S31	1N21	21S48	17N 2	7N24
3	2 10	3 11	0 17	18 32	1 21	21 48	17 3	7 24
5	2 11	3 11	0 17	18 34	1 21	21 48	17 4	7 25
7	2 12	3 12	0 17	18 35	1 21	21 48	17 6	7 25
9	2 12	3 12	0 17	18 36	1 21	21 49	17 7	7 26
11	2 13	3 13	0 17	18 38	1 21	21 49	17 8	7 27
13	2 13	3 14	0 17	18 39	1 21	21 49	17 9	7 27
15	2 14	3 15	0 17	18 40	1 21	21 49	17 10	7 28
17	2 14	3 17	0 17	18 41	1 21	21 49	17 11	7 29
19	2 15	3 18	0 17	18 42	1 21	21 50	17 13	7 30
21	2 15	3 20	0 17	18 43	1 21	21 50	17 14	7 31
23	2 16	3 22	0 17	18 44	1 21	21 50	17 15	7 32
25	2 16	3 24	0 17	18 45	1 21	21 50	17 16	7 33
27	2 17	3 26	0 17	18 46	1 21	21 50	17 18	7 34
29	2 17	3 28	0 17	18 47	1 21	21 51	17 19	7 35
31	2N18	3N31	0N17	18S47	1N21	21S51	17N20	7N37

Aspects mutuels

1. ☉ △ ♃. ♀ ⚼ ♄.
2. ☿ ⊥ ♅. ♀ P ♅.
3. ♀ ⚻ ♂. 4. ☿ Q ♇.
5. ☉ △ ♂. 6. ♄ Stat.
8. ☿ △ ♃. ∠ ♅. ♀ ± ♄. ⚹
9. ☿ △ ♇. [♆.
11. ☉ P ♆. ♀ □ ♅.
12. ☉ ⚺ ♆. □ ♇. ☿ △ ♂.
13. ☿ ⚻ ♄.
15. ☉ ⚼ ♃. ⚹ ♅. ☿ ⚺ ♆.
16. ☿ □ ♇. ♂ Stat.
17. ☉ △ ♄. ☿ ⚼ ♃. ⚹ ♅.
18. ☉ ⊥ ♆.
19. ☿ △ ♄. ⊥ ♆. ♀ Q ♆.
21. ☉ ☌ ☿. ⊥ ♀. ⚼ ♂. ☿ ⊥ ♀. ⚼ ♂. P ♆. ♀ ⚼ ♇.
22. ☿ ± ♃.
23. ☉ ± ♃. ♀ P ♂. ☍ ♃. P
24. ♇ Stat. [♃.
25. ☿ Q ♅. ∠ ♆. [⚹ ♇.
26. ☉ P ♅. ☿ ± ♂. ⚻ ♃. ♆
27. ☉ Q ♅. ∠ ♆. ☿ ⚼ ♄. ☿
28. ☿ P ♅. ☿ ☍ ♂. [P ♇.
29. ☉ ± ♂. ⚻ ♃. ☿ ⚻ ♂. ☿
30. ☉ P ☿. [± ♇.

DERNIER QUARTIER — 10 janvier, 11 h 49 (19° ♎ 23')

Reproduit avec la permission des détenteurs du copyright des ***Raphael's Ephemeris 1980*** *©W. Foulsham & Co., Slough, Angleterre.*

Table 8 (b): Logarithmes proportionnels

LOGARITHMES PROPORTIONNELS POUR LE CALCUL DE L'EMPLACEMENT DES PLANÈTES

min	Heures ou degrés																min
	0	1	2	3	4	5	6	7	8	9	10	11	12	13	14	15	
0	3.1584	1.3802	1.0792	9031	7781	6812	6021	5351	4771	4260	3802	3388	3010	2663	2341	2041	**0**
1	3.1584	1.3730	1.0756	9007	7763	6798	6009	5341	4762	4252	3795	3382	3004	2657	2336	2036	**1**
2	2,8573	1,3660	1,0720	8983	7745	6784	5997	5330	4753	4244	3788	3375	2998	2652	2330	2032	**2**
3	2.6812	1.3590	1.0685	8959	7728	6769	5985	5320	4744	4236	3780	3368	2992	2646	2325	2027	**3**
4	2.5563	1.3522	1.0649	8935	7710	6755	5973	5310	4735	4228	3773	3362	2986	2640	2320	2022	**4**
5	2.4594	1.3454	1.0614	8912	7692	6741	5961	5300	4726	4220	3766	3355	2980	2635	2315	2017	**5**
6	2.3802	1.3388	1.0580	8888	7674	6726	5949	5289	4717	4212	3759	3349	2974	2629	2310	2012	**6**
7	2.3133	1.3323	1.0546	8865	7657	6712	5937	5279	4708	4204	3752	3342	2968	2624	2305	2008	**7**
8	2.2553	1.3258	1.0511	8842	7639	6698	5925	5269	4699	4196	3745	3336	2962	2618	2300	2003	**8**
9	2.2041	1.3195	1.0478	8819	7622	6684	5913	5259	4690	4188	3737	3329	2956	2613	2295	1998	**9**
10	2.1584	1.3133	1.0444	8796	7604	6670	5902	5249	4682	4180	3730	3323	2950	2607	2289	1993	**10**
11	2.1170	1.3071	1.0411	8773	7587	6656	5890	5239	4673	4172	3723	3316	2944	2602	2284	1988	**11**
12	2.0792	1.3010	1.0378	8751	7570	6642	5878	5229	4664	4164	3716	3310	2938	2596	2279	1984	**12**
13	2.0444	1.2950	1.0345	8728	7552	6628	5866	5219	4655	4156	3709	3303	2933	2591	2274	1979	**13**
14	2.0122	1.2891	1.0313	8706	7535	6614	5855	5209	4646	4148	3702	3297	2927	2585	2269	1974	**14**
15	1.9823	1.2833	1.0280	8683	7518	6600	5843	5199	4638	4141	3695	3291	2921	2580	2264	1969	**15**
16	1.9542	1.2775	1.0248	8661	7501	6587	5832	5189	4629	4133	3688	3284	2915	2574	2259	1965	**16**
17	1.9279	1.2719	1.0216	8639	7484	6573	5820	5179	4620	4125	3681	3278	2909	2569	2254	1960	**17**
18	1.9031	1.2663	1.0185	8617	7467	6559	5809	5169	4611	4117	3674	3271	2903	2564	2249	1955	**18**
19	1.8796	1.2607	1.0153	8595	7451	6546	5797	5159	4603	4109	3667	3265	2897	2558	2244	1950	**19**
20	1.8573	1.2553	1.0122	8573	7434	6532	5786	5149	4594	4102	3660	3258	2891	2553	2239	1946	**20**
21	1.8361	1.2499	1.0091	8552	7417	6519	5774	5139	4585	4094	3653	3252	2885	2547	2234	1941	**21**
22	1.8159	1.2445	1.0061	8530	7401	6505	5763	5129	4577	4086	3646	3246	2880	2542	2229	1936	**22**
23	1.7966	1.2393	1.0030	8509	7384	6492	5752	5120	4568	4079	3639	3239	2874	2536	2223	1932	**23**
24	1.7781	1.2341	1.0000	8487	7368	6478	5740	5110	4559	4071	3632	3233	2868	2531	2218	1927	**24**
25	1.7604	1.2289	0.9970	8466	7351	6465	5729	5100	4551	4063	3625	3227	2862	2526	2213	1922	**25**
26	1.7434	1.2239	0.9940	8445	7335	6451	5718	5090	4542	4055	3618	3220	2856	2520	2208	1917	**26**
27	1.7270	1.2188	0.9910	8424	7318	6438	5706	5081	4534	4048	3611	3214	2850	2515	2203	1913	**27**
28	1.7112	1.2139	0.9881	8403	7302	6425	5695	5071	4525	4040	3604	3208	2845	2509	2198	1908	**28**
29	1.6960	1.2090	0.9852	8382	7286	6412	5684	5061	4516	4032	3597	3201	2839	2504	2193	1903	**29**
30	1.6812	1.2041	0.9823	8361	7270	6398	5673	5051	4508	4025	3590	3195	2833	2499	2188	1899	**30**
31	1.6670	1.1993	0.9794	8341	7254	6385	5662	5042	4499	4017	3583	3189	2827	2493	2183	1894	**31**
32	1.6532	1.1946	0.9765	8320	7238	6372	5651	5032	4491	4010	3576	3183	2821	2488	2178	1889	**32**
33	1.6398	1.1899	0.9737	8300	7222	6359	5640	5023	4482	4002	3570	3176	2816	2483	2173	1885	**33**
34	1.6269	1.1852	0.9708	8279	7206	6346	5629	5013	4474	3994	3563	3170	2810	2477	2168	1880	**34**
35	1.6143	1.1806	0.9680	8259	7190	6333	5618	5003	4466	3987	3556	3164	2804	2472	2164	1875	**35**
36	1.6021	1.1761	0.9652	8239	7174	6320	5607	4994	4457	3979	3549	3157	2798	2467	2159	1871	**36**
37	1.5902	1.1716	0.9625	8219	7159	6307	5596	4984	4449	3972	3542	3151	2793	2461	2154	1866	**37**
38	1.5786	1.1671	0.9597	8199	7143	6294	5585	4975	4440	3964	3535	3145	2787	2456	2149	1862	**38**
39	1.5673	1.1627	0.9570	8179	7128	6282	5574	4965	4432	3957	3529	3139	2781	2451	2144	1857	**39**
40	1.5563	1.1584	0.9542	8159	7112	6269	5563	4956	4424	3949	3522	3133	2775	2445	2139	1852	**40**
41	1.5456	1.1540	0.9515	8140	7097	6256	5552	4947	4415	3942	3515	3126	2770	2440	2134	1848	**41**
42	1.5351	1.1498	0.9488	8120	7081	6243	5541	4937	4407	3934	3508	3120	2764	2435	2129	1843	**42**
43	1.5249	1.1455	0.9462	8101	7066	6231	5531	4928	4399	3927	3501	3114	2758	2430	2124	1838	**43**
44	1.5149	1.1413	0.9435	8081	7050	6218	5520	4918	4390	3919	3495	3108	2753	2424	2119	1834	**44**
45	1.5051	1.1372	0.9409	8062	7035	6205	5509	4909	4382	3912	3488	3102	2747	2419	2114	1829	**45**
46	1.4956	1.1331	0.9383	8043	7020	6193	5498	4900	4374	3905	3481	3096	2741	2414	2109	1825	**46**
47	1.4863	1.1290	0.9356	8023	7005	6180	5488	4890	4365	3897	3475	3089	2736	2409	2104	1820	**47**
48	1.4771	1.1249	0.9330	8004	6990	6168	5477	4881	4357	3890	3468	3083	2730	2403	2099	1816	**48**
49	1.4682	1.1209	0.9305	7985	6875	6155	5466	4872	4349	3882	3461	3077	2724	2398	2095	1811	**49**
50	1.4594	1.1170	0.9279	7966	6960	6143	5456	4863	4341	3875	3454	3071	2719	2393	2090	1806	**50**
51	1.4508	1.1130	0.9254	7947	6945	6131	5445	4853	4333	3868	3448	3065	2713	2388	2085	1802	**51**
52	1.4424	1.1091	0.9228	7929	6930	6118	5435	4844	4324	3860	3441	3059	2707	2382	2080	1797	**52**
53	1.4341	1.1053	0.9203	7910	6915	6106	5424	4835	4316	3853	3434	3053	2702	2377	2075	1793	**53**
54	1.4260	1.1015	0.9178	7891	6900	6094	5414	4826	4308	3846	3428	3047	2696	2372	2070	1788	**54**
55	1.4180	1.0977	0.9153	7873	6885	6081	5403	4817	4300	3838	3421	3041	2691	2367	2065	1784	**55**
56	1.4102	1.0939	0.9128	7854	6871	6069	5393	4808	4292	3831	3415	3034	2685	2362	2061	1779	**56**
57	1.4025	1.0902	0.9104	7836	6856	6057	5382	4798	4284	3824	3408	3028	2679	2356	2056	1774	**57**
58	1.3949	1.0865	0.9079	7818	6841	6045	5372	4789	4276	3817	3401	3022	2674	2351	2051	1770	**58**
59	1.3875	1.0828	0.9055	7800	6827	6033	5361	4780	4268	3809	3395	3016	2668	2346	2046	1765	**59**
	0	1	2	3	4	5	6	7	8	9	10	11	12	13	14	15	

RÈGLE: Ajouter le log prop. du déplacement journalier de la planète au log de l'écart de temps entre midi et l'heure donnée. Le résultat est *ajouté* à l'emplacement de la planète s'il est plus tard que midi, et *soustrait* s'il s'agit du matin. On inverse les opérations si la planète est rétrograde.

Quelle est la long. de la ☽ le 11 mars 1980 à 14 h 15?
Déplacement journalier de la ☽ : 13° 42'

Log prop. de 13° 42' 0,2435
Log prop. de 2 h 15 1,0280

Déplacement de la ☽ en 2 h 15 = 1° 17' ou 1,2715
Long. de la ☽ le 11 mars = 9° ♈ 25' + 1° 17' = 10° ♈ 42'

Table 8 (c): Table des Maisons pour Londres

TABLE DES MAISONS POUR LONDRES, LATITUDE 51° 32' N.

Temps sidéral h	m	s	10 ♈ °	11 ♉ °	12 ♊ °	Asc. ♋ °	′	2 ♌ °	3 ♍ °
0	0	0	0	9	22	26	36	12	3
0	3	40	1	10	23	27	17	13	3
0	7	20	2	11	24	27	56	14	4
0	11	0	3	12	25	28	42	15	5
0	14	41	4	13	25	29	17	15	6
0	18	21	5	14	26	29	55	16	7
0	22	2	6	15	27	0 ♌	34	17	8
0	25	42	7	16	28	1	14	18	8
0	29	23	8	17	29	1	55	18	9
0	33	4	9	18	♋	2	33	19	10
0	36	45	10	19	1	3	14	20	11
0	40	26	11	20	1	3	54	20	12
0	44	8	12	21	2	4	33	21	13
0	47	50	13	22	3	5	12	22	14
0	51	32	14	23	4	5	52	23	15
0	55	14	15	24	5	6	30	23	15
0	58	57	16	25	6	7	9	24	16
1	2	40	17	26	6	7	50	25	17
1	6	23	18	27	7	8	30	26	18
1	10	7	19	28	8	9	9	26	19
1	13	51	20	29	9	9	48	27	19
1	17	35	21	♊	10	10	28	28	20
1	21	20	22	1	10	11	8	28	21
1	25	6	23	2	11	11	48	29	22
1	28	52	24	3	12	12	28	♍	23
1	32	38	25	4	13	13	8	1	24
1	36	25	26	5	14	13	48	1	25
1	40	12	27	6	14	14	28	2	25
1	44	0	28	7	15	15	8	3	26
1	47	48	29	8	16	15	48	4	27
1	51	37	30	9	17	16	28	4	28

Temps sidéral h	m	s	10 ♉ °	11 ♊ °	12 ♋ °	Asc. ♌ °	′	2 ♍ °	3 ♍ °
1	51	37	0	9	17	16	28	4	28
1	55	27	1	10	18	17	8	5	29
1	59	17	2	11	19	17	48	6	♎
2	3	8	3	12	19	18	28	7	1
2	6	59	4	13	20	19	9	8	2
2	10	51	5	14	21	19	49	9	2
2	14	44	6	15	22	20	29	9	3
2	18	37	7	16	22	21	10	10	4
2	22	31	8	17	23	21	51	11	5
2	26	25	9	18	24	22	32	11	6
2	30	20	10	19	25	23	14	12	7
2	34	16	11	20	25	23	55	13	8
2	38	13	12	21	26	24	36	14	9
2	42	10	13	22	27	25	17	15	10
2	46	8	14	23	28	25	58	15	11
2	50	7	15	24	29	26	40	16	12
2	54	7	16	25	29	27	22	17	12
2	58	7	17	26	♌	28	4	18	13
3	2	8	18	27	1	28	46	18	14
3	6	9	19	27	2	29	28	19	15
3	10	12	20	28	3	0 ♍	12	20	16
3	14	15	21	29	3	0	54	21	17
3	18	19	22	♋	4	1	36	22	18
3	22	23	23	1	5	2	20	22	19
3	26	29	24	2	6	3	2	23	20
3	30	35	25	3	7	3	45	24	21
3	34	41	26	4	7	4	28	25	22
3	38	49	27	5	8	5	11	26	23
3	42	57	28	6	9	5	54	27	24
3	47	6	29	7	10	6	38	27	25
3	51	15	30	8	11	7	21	28	25

Temps sidéral h	m	s	10 ♊ °	11 ♋ °	12 ♌ °	Asc. ♍ °	′	2 ♍ °	3 ♎ °
3	51	15	0	8	11	7	21	28	25
3	55	25	1	9	12	8	5	29	26
3	59	36	2	10	12	8	49	♎	27
4	3	48	3	10	13	9	33	1	28
4	8	0	4	11	14	10	17	2	29
4	12	13	5	12	15	11	2	2	♏
4	16	26	6	13	16	11	46	3	1
4	20	40	7	14	17	12	30	4	2
4	24	55	8	15	17	13	15	5	3
4	29	10	9	16	18	14	0	6	4
4	33	26	10	17	19	14	45	7	5
4	37	42	11	18	20	15	30	8	6
4	41	59	12	19	21	16	15	8	7
4	46	16	13	20	21	17	0	9	8
4	50	34	14	21	22	17	45	10	9
4	54	52	15	22	23	18	30	11	10
4	59	10	16	23	24	19	16	12	11
5	3	29	17	24	25	20	3	13	12
5	7	49	18	25	26	20	49	14	13
5	12	9	19	25	27	21	35	14	14
5	16	29	20	26	28	22	20	15	14
5	20	49	21	27	28	23	6	16	15
5	25	9	22	28	29	23	51	17	16
5	29	30	23	29	♍	24	37	18	17
5	33	51	24	♌	1	25	23	19	18
5	38	12	25	1	2	26	9	20	19
5	42	34	26	2	3	26	55	21	20
5	46	55	27	3	4	27	41	21	21
5	51	17	28	4	4	28	27	22	22
5	55	38	29	5	5	29	13	23	23
6	0	0	30	6	6	30	0	24	24

Temps sidéral h	m	s	10 ♋ °	11 ♌ °	12 ♍ °	Asc. ♎ °	′	2 ♎ °	3 ♏ °
6	0	0	0	6	6	0	0	24	24
6	4	22	1	7	7	0	47	25	25
6	8	43	2	8	8	1	33	26	26
6	13	5	3	9	9	2	19	27	27
6	17	26	4	10	10	3	5	27	28
6	21	48	5	11	10	3	51	28	29
6	26	9	6	12	11	4	37	29	♐
6	30	30	7	13	12	5	23	♏	1
6	34	51	8	14	13	6	9	1	2
6	39	11	9	15	14	6	55	2	3
6	43	31	10	16	15	7	40	2	4
6	47	51	11	16	16	8	26	3	4
6	52	11	12	17	16	9	12	4	5
6	56	31	13	18	17	9	58	5	6
7	0	50	14	19	18	10	43	6	7
7	5	8	15	20	19	11	28	7	8
7	9	26	16	21	20	12	14	8	9
7	13	44	17	22	21	12	59	8	10
7	18	1	18	23	22	13	45	9	11
7	22	18	19	24	23	14	30	10	12
7	26	34	20	25	24	15	15	11	13
7	30	50	21	26	25	16	0	12	14
7	35	5	22	27	25	16	45	13	15
7	39	20	23	28	26	17	30	13	16
7	43	34	24	29	27	18	15	14	17
7	47	47	25	♍	28	18	59	15	18
7	52	0	26	1	29	19	43	16	19
7	56	12	27	2	29	20	27	17	20
8	0	24	28	3	♎	21	11	18	20
8	4	35	29	4	1	21	56	18	21
8	8	45	30	5	2	22	40	19	22

Temps sidéral h	m	s	10 ♌ °	11 ♍ °	12 ♎ °	Asc. ♎ °	′	2 ♏ °	3 ♐ °
8	8	45	0	5	2	22	40	19	22
8	12	54	1	5	3	23	24	20	23
8	17	3	2	6	3	24	7	21	24
8	21	11	3	7	4	24	50	22	25
8	25	19	4	8	5	25	34	23	26
8	29	26	5	9	6	26	18	23	27
8	33	31	6	10	7	27	1	24	28
8	37	37	7	11	8	27	44	25	29
8	41	41	8	12	8	28	26	26	♑
8	45	45	9	13	9	29	8	27	1
8	49	48	10	14	10	29	50	27	2
8	53	51	11	15	11	0 ♏	32	28	3
8	57	52	12	16	12	1	15	29	4
9	1	53	13	17	12	1	58	♐	4
9	5	53	14	18	13	2	39	1	5
9	9	53	15	18	14	3	21	1	6
9	13	52	16	19	15	4	3	2	7
9	17	50	17	20	16	4	44	3	8
9	21	47	18	21	16	5	26	3	9
9	25	44	19	22	17	6	7	4	10
9	29	40	20	23	18	6	48	5	11
9	33	35	21	24	18	7	29	5	12
9	37	29	22	25	19	8	9	6	13
9	41	23	23	26	20	8	50	7	14
9	45	16	24	27	21	9	31	8	15
9	49	9	25	28	22	10	11	9	16
9	53	1	26	28	23	10	51	9	17
9	56	52	27	29	23	11	32	10	18
10	0	43	28	♎	24	12	12	11	19
10	4	33	29	1	25	12	53	12	20
10	8	23	30	2	26	13	33	13	20

Temps sidéral h	m	s	10 ♍ °	11 ♎ °	12 ♎ °	Asc. ♏ °	′	2 ♐ °	3 ♑ °
10	8	23	0	2	26	13	33	13	20
10	12	12	1	3	26	14	13	14	21
10	16	0	2	4	27	14	53	15	22
10	19	48	3	5	28	15	33	15	23
10	23	35	4	5	29	16	13	16	24
10	27	22	5	6	29	16	52	17	25
10	31	8	6	7	♏	17	32	18	26
10	34	54	7	8	1	18	12	19	27
10	38	40	8	9	2	18	52	20	28
10	42	25	9	10	2	19	31	20	29
10	46	9	10	11	3	20	11	21	♒
10	49	53	11	11	4	20	50	22	1
10	53	37	12	12	4	21	30	23	2
10	57	20	13	13	5	22	9	24	3
11	1	3	14	14	6	22	49	24	4
11	4	46	15	15	7	23	28	25	5
11	8	28	16	16	7	24	8	26	6
11	12	10	17	17	8	24	47	27	8
11	15	52	18	17	9	25	27	28	9
11	19	34	19	18	10	26	6	29	10
11	23	15	20	19	10	26	45	♑	11
11	26	56	21	20	11	27	25	0	12
11	30	37	22	21	12	28	5	1	13
11	34	18	23	22	13	28	44	2	14
11	37	58	24	23	13	29	24	3	15
11	41	39	25	23	14	0 ♐	3	4	16
11	45	19	26	24	15	0	43	5	17
11	49	0	27	25	15	1	23	6	18
11	52	40	28	26	16	2	3	6	19
11	56	20	29	27	17	2	43	7	20
12	0	0	30	27	17	3	23	8	21

TABLE DES MAISONS POUR LONDRES, LATITUDE 51° 32' N.

Temps sidéral h	m	s	10 ♎ °	11 ♎ °	12 ♏ °	Asc. ♐ °	'	2 ♑ °	3 ♒ °
12	0	0	0	27	17	3	23	8	21
12	3	40	1	28	18	4	4	9	23
12	7	20	2	29	19	4	45	10	24
12	11	0	3	♏	20	5	26	11	25
12	14	41	4	1	20	6	7	12	26
12	18	21	5	1	21	6	48	13	27
12	22	2	6	2	22	7	29	14	28
12	25	42	7	3	23	8	10	15	29
12	29	23	8	4	23	8	51	16	♓
12	33	4	9	5	24	9	33	17	2
12	36	45	10	6	25	10	15	18	3
12	40	26	11	6	25	10	57	19	4
12	44	8	12	7	26	11	40	20	5
12	47	50	13	8	27	12	22	21	6
12	51	32	14	9	28	13	4	22	7
12	55	14	15	10	28	13	47	23	9
12	58	57	16	11	29	14	30	24	10
13	2	40	17	11	♐	15	14	25	11
13	6	23	18	12	1	15	59	26	12
13	10	7	19	13	1	16	44	27	13
13	13	51	20	14	2	17	29	28	15
13	17	35	21	15	3	18	14	29	16
13	21	20	22	16	4	19	0	♒	17
13	25	6	23	16	4	19	45	1	18
13	28	52	24	17	5	20	31	2	20
13	32	38	25	18	6	21	18	4	21
13	36	25	26	19	7	22	6	5	22
13	40	12	27	20	7	22	54	6	23
13	44	0	28	21	8	23	42	7	25
13	47	48	29	21	9	24	31	8	26
13	51	37	30	22	10	25	20	10	27

Temps sidéral h	m	s	10 ♏ °	11 ♏ °	12 ♐ °	Asc. ♐ °	'	2 ♒ °	3 ♓ °
13	51	37	0	22	10	25	20	10	27
13	55	27	1	23	11	26	10	11	28
13	59	17	2	24	11	27	2	12	♈
14	3	8	3	25	12	27	53	14	1
14	6	59	4	26	13	28	45	15	2
14	10	51	5	26	14	29	36	16	4
14	14	44	6	27	15	0 ♑	29	18	5
14	18	37	7	28	15	1	23	19	6
14	22	31	8	29	16	2	18	20	8
14	26	25	9	♐	17	3	14	22	9
14	30	20	10	1	18	4	11	23	10
14	34	16	11	2	19	5	9	25	11
14	38	13	12	2	20	6	7	26	13
14	42	10	13	3	20	7	6	28	14
14	46	8	14	4	21	8	6	29	15
14	50	7	15	5	22	9	8	♓	17
14	54	7	16	6	23	10	11	2	18
14	58	7	17	7	24	11	15	4	19
15	2	8	18	8	25	12	20	6	21
15	6	9	19	9	26	13	27	8	22
15	10	12	20	9	27	14	35	9	23
15	14	15	21	10	27	15	43	11	24
15	18	19	22	11	28	16	52	13	26
15	22	23	23	12	29	18	3	14	27
15	26	29	24	13	♑	19	16	16	28
15	30	35	25	14	1	20	32	17	29
15	34	41	26	15	2	21	48	19	♉
15	38	49	27	16	3	23	8	21	2
15	42	57	28	17	4	24	29	22	3
15	47	6	29	18	5	25	51	24	5
15	51	15	30	18	6	27	15	26	6

Temps sidéral h	m	s	10 ♐ °	11 ♐ °	12 ♑ °	Asc. ♑ °	'	2 ♓ °	3 ♉ °
15	51	15	0	18	6	27	15	26	6
15	55	25	1	19	7	28	42	28	7
15	59	36	2	20	8	0 ♒	11	♈	9
16	3	48	3	21	9	1	42	2	10
16	8	0	4	22	10	3	16	3	11
16	12	13	5	23	11	4	53	5	12
16	16	26	6	24	12	6	32	7	14
16	20	40	7	25	13	8	13	9	15
16	24	55	8	26	14	9	57	11	16
16	29	10	9	27	16	11	44	12	17
16	33	26	10	28	17	13	34	14	18
16	37	42	11	29	18	15	26	16	20
16	41	59	12	♑	19	17	20	18	21
16	46	16	13	1	20	19	18	20	22
16	50	34	14	2	21	21	22	21	23
16	54	52	15	3	22	23	29	23	25
16	59	10	16	4	24	25	36	25	26
17	3	29	17	5	25	27	46	27	27
17	7	49	18	6	26	0 ♓	0	28	28
17	12	9	19	7	27	2	19	♉	29
17	16	29	20	8	29	4	40	2	♊
17	20	49	21	9	♒	7	2	3	1
17	25	9	22	10	1	9	26	5	2
17	29	30	23	11	3	11	54	7	3
17	33	51	24	12	4	14	24	8	5
17	38	12	25	13	5	17	0	10	6
17	42	34	26	14	7	19	33	11	7
17	46	55	27	15	8	22	6	13	8
17	51	17	28	16	10	24	40	14	9
17	55	38	29	17	11	27	20	16	10
18	0	0	30	18	13	30	0	17	11

Temps sidéral h	m	s	10 ♑ °	11 ♑ °	12 ♒ °	Asc. ♈ °	'	2 ♉ °	3 ♊ °
18	0	0	0	18	13	0	0	17	11
18	4	22	1	20	14	2	39	19	13
18	8	43	2	21	16	5	19	20	14
18	13	5	3	22	17	7	55	22	15
18	17	26	4	23	19	10	29	23	16
18	21	48	5	24	20	13	2	25	17
18	26	9	6	25	22	15	36	26	18
18	30	30	7	26	23	18	6	28	19
18	34	51	8	27	25	20	34	29	20
18	39	11	9	29	27	22	59	♊	21
18	43	31	10	♒	28	25	22	1	22
18	47	51	11	1	♓	27	42	2	23
13	52	11	12	2	2	29	58	4	24
18	56	31	13	3	3	2 ♉	13	5	25
19	0	50	14	4	5	4	24	6	26
19	5	8	15	6	7	6	30	8	27
19	9	26	16	7	9	8	36	9	28
19	13	44	17	8	10	10	40	10	29
19	18	1	18	9	12	12	39	11	♋
19	22	18	19	10	14	14	35	12	1
19	26	34	20	12	16	16	28	13	2
19	30	50	21	13	18	18	17	14	3
19	35	5	22	14	19	20	3	16	4
19	39	20	23	15	21	21	48	17	5
19	43	34	24	16	23	23	29	18	6
19	47	47	25	18	25	25	9	19	7
19	52	0	26	19	27	26	45	20	8
19	56	12	27	20	28	28	18	21	9
20	0	24	28	21	♈	29	49	22	10
20	4	35	29	23	2	1 ♊	19	23	11
20	8	45	30	24	4	2	45	24	12

Temps sidéral h	m	s	10 ♒ °	11 ♒ °	12 ♈ °	Asc. ♊ °	'	2 ♊ °	3 ♋ °
20	8	45	0	24	4	2	45	24	12
20	12	54	1	25	6	4	9	25	12
20	17	3	2	27	7	5	32	26	13
20	21	11	3	28	9	6	53	27	14
20	25	19	4	29	11	8	12	28	15
20	29	26	5	♓	13	9	27	29	16
20	33	31	6	2	14	10	43	♋	17
20	37	37	7	3	16	11	58	1	18
20	41	41	8	4	18	13	9	2	19
20	45	45	9	6	19	14	18	3	20
20	49	48	10	7	21	15	25	3	21
20	53	51	11	8	23	16	32	4	21
20	57	52	12	9	24	17	39	5	22
21	1	53	13	11	26	18	44	6	23
21	5	53	14	12	28	19	48	7	24
21	9	53	15	13	29	20	51	8	25
21	13	52	16	15	♉	21	53	9	26
21	17	50	17	16	2	22	53	10	27
21	21	47	18	17	4	23	52	10	28
21	25	44	19	19	5	24	51	11	28
21	29	40	20	20	7	25	48	12	29
21	33	35	21	22	8	26	44	13	♌
21	37	29	22	23	10	27	40	14	1
21	41	23	23	24	11	28	34	15	2
21	45	16	24	25	13	29	29	15	3
21	49	9	25	26	14	0 ♋	22	16	4
21	53	1	26	28	15	1	15	17	4
21	56	52	27	29	16	2	7	18	5
22	0	43	28	♈	18	2	57	19	6
22	4	33	29	2	19	3	48	19	7
22	8	23	30	3	20	4	38	20	8

Temps sidéral h	m	s	10 ♓ °	11 ♈ °	12 ♉ °	Asc. ♋ °	'	2 ♋ °	3 ♌ °
22	8	23	0	3	20	4	38	20	8
22	12	12	1	4	21	5	28	21	8
22	16	0	2	6	23	6	17	22	9
22	19	48	3	7	24	7	5	23	10
22	23	35	4	8	25	7	53	23	11
22	27	22	5	9	26	8	42	24	12
22	31	8	6	10	28	9	29	25	13
22	34	54	7	12	29	10	16	26	14
22	38	40	8	13	♊	11	2	26	14
22	42	25	9	14	1	11	47	27	15
22	46	9	10	15	2	12	31	28	16
22	49	53	11	17	3	13	16	29	17
22	53	37	12	18	4	14	1	29	18
22	57	20	13	19	5	14	45	♌	19
23	1	3	14	20	6	15	28	1	19
23	4	46	15	21	7	16	11	2	20
23	8	28	16	23	8	16	54	2	21
23	12	10	17	24	9	17	37	3	22
23	15	52	18	25	10	18	20	4	23
23	19	34	19	26	11	19	3	5	24
23	23	15	20	27	12	19	45	5	24
23	26	56	21	29	13	20	26	6	25
23	30	37	22	♉	14	21	8	7	26
23	34	18	23	1	15	21	50	7	27
23	37	58	24	2	16	22	31	8	28
23	41	39	25	3	17	23	12	9	28
23	45	19	26	4	18	23	53	9	29
23	49	0	27	5	19	24	32	10	♍
23	52	40	28	6	20	25	15	11	1
23	56	20	29	8	21	25	56	12	2
24	0	0	30	9	22	26	36	13	3

TABLE DES MATIÈRES

Lithographié au Canada
sur les presses de
Métropole Litho Inc.

Ouvrages parus chez

le jour, éditeur

sans * pour l'Amérique du Nord seulement
* pour l'Europe et l'Amérique du Nord
** pour l'Europe seulement

COLLECTION BEST-SELLERS

* **Comment aimer vivre seul,** Lynn Shahan
* **Comment faire l'amour à une femme,** Michael Morgenstern
* **Comment faire l'amour à un homme,** Alexandra Penney
* **Grand livre des horoscopes chinois, Le,** Theodora Lau

Maîtriser la douleur, Meg Bogin

Personne n'est parfait, Dr H. Weisinger, N.M. Lobsenz

COLLECTION ACTUALISATION

* **Agressivité créatrice, L',** Dr G.R. Bach, Dr H. Goldberg
* **Aider les jeunes à choisir,** Dr S.B. Simon, S. Wendkos Olds

Au centre de soi, Dr Eugene T. Gendlin

Clefs de la confiance, Les, Dr Jack Gibb

* **Enseignants efficaces,** Dr Thomas Gordon

États d'esprit, Dr William Glasser

* **Être homme,** Dr Herb Goldberg
* **Jouer le tout pour le tout,** Carl Frederick
* **Mangez ce qui vous chante,** Dr L. Pearson, Dr L. Dangott, K. Saekel
* **Parents efficaces,** Dr Thomas Gordon
* **Partenaires,** Dr G.R. Bach, R.M. Deutsch

Secrets de la communication, Les, R. Bandler, J. Grinder

COLLECTION VIVRE

* **Auto-hypnose, L',** Leslie M. LeCron

Chemin infaillible du succès, Le, W. Clement Stone

* **Comment dominer et influencer les autres,** H.W. Gabriel

Contrôle de soi par la relaxation, Le, Claude Marcotte

Découvrez l'inconscient par la parapsychologie, Milan Ryzl

Espaces intérieurs, Les, Dr Howard Eisenberg

Être efficace, Marc Hanot

Fabriquer sa chance, Bernard Gittelson

Harmonie, une poursuite du succès, L', Raymond Vincent

* **Miracle de votre esprit, Le,** Dr Joseph Murphy
* **Négocier, entre vaincre et convaincre,** Dr Tessa Albert Warschaw

* **On n'a rien pour rien,** Raymond Vincent
Parlez pour qu'on vous écoute, Michèle Brien
Pensée constructive et le bon sens, La, Raymond Vincent
* **Principe du plaisir, Le,** Dr Jack Birnbaum
* **Puissance de votre subconscient, La,** Dr Joseph Murphy
Reconquête de soi, La, Dr James Paupst, Toni Robinson
* **Réfléchissez et devenez riche,** Napoleon Hill
Règles d'or de la vente, Les, George N. Kahn
Réussir, Marc Hanot
* **Rythmes de votre corps, Les,** Lee Weston
* **Se connaître et connaître les autres,** Hanns Kurth
* **Succès par la pensée constructive, Le,** N. Hill, W.C. Stone
Triomphez de vous-même et des autres, Dr Joseph Murphy
Vaincre la dépression par la volonté et l'action, Claude Marcotte
* **Vivre, c'est vendre,** Jean-Marc Chaput
Votre perception extra-sensorielle, Dr Milan Ryzl

COLLECTION VIVRE SON CORPS

Drogues, extases et dangers, Les, Bruno Boutot
* **Massage en profondeur, Le,** Jack Painter, Michel Bélair
* **Massage pour tous, Le,** Gilles Morand
* **Orgasme au féminin, L',** Christine L'Heureux
* **Orgasme au masculin, L',** sous la direction de Bruno Boutot
* **Orgasme au pluriel, L',** Yves Boudreau
Pornographie, La, Collectif
Première fois, La, Christine L'Heureux
Sexualité expliquée aux adolescents, La, Yves Boudreau

COLLECTION IDÉELLES

Femme expliquée, La, Dominique Brunet
Femmes et politique, sous la direction de Yolande Cohen

HORS-COLLECTION

1500 prénoms et leur signification, Jeanne Grisé-Allard
Bien s'assurer, Carole Boudreault et André Lafrance

* **Entreprise électronique, L',** Paul Germain
Horoscope chinois, L', Paula Del Sol
Lutte pour l'information, La, Pierre Godin
Mes recettes, Juliette Lassonde
Recettes de Janette et le grain de sel de Jean, Les, Janette Bertrand

Autres ouvrages parus aux Éditions du Jour

ALIMENTATION ET SANTÉ

Alcool et la nutrition, L', Jean-Marc Brunet
Acupuncture sans aiguille, Y. Irwin, J. Wagenwood
Bio-énergie, La, Dr Alexander Lowen
Breuvages pour diabétiques, Suzanne Binet
Bruit et la santé, Le, Jean-Marc Brunet
Ces mains qui vous racontent, André-Pierre Boucher
Chaleur peut vous guérir, La, Jean-Marc Brunet
Comment s'arrêter de fumer, Dr W.J. McFarland, J.E. Folkenberg
Corps bafoué, Le, Dr Alexander Lowen
Cuisine sans cholestérol, La, M. Boudreau-Pagé, D. Morand, M. Pagé
Dépression nerveuse et le corps, La, Dr Alexander Lowen
Desserts pour diabétiques, Suzanne Binet
Jus de santé, Les, Jean-Marc Brunet
Mangez, réfléchissez et..., Dr Leonid Kotkin
Échec au vieillissement prématuré, J. Blais
Facteur âge, Le, Jack Laprata
Guérir votre foie, Jean-Marc Brunet
Information santé, Jean-Marc Brunet
Libérez-vous de vos troubles, Dr Aldo Saponaro
Magie en médecine, La, Raymond Sylva
Maigrir naturellement, Jean-Luc Lauzon
Mort lente par le sucre, La, Jean-Paul Duruisseau
Recettes naturistes pour arthritiques et rhumatisants, L. Cuillerier, Y. Labelle
Santé par le yoga, Suzanne Piuze
Touchez-moi s'il vous plaît, Jane Howard
Vitamines naturelles, Les, Jean-Marc Brunet
Vivre sur la terre, Hélène St-Pierre

ART CULINAIRE

Armoire aux herbes, L', Jean Mary
Bien manger et maigrir, L. Mercier, C.B. Garceau, A. Beaulieu
Cuisine canadienne, La, Jehane Benoit
Cuisine du jour, La, Robert Pauly
Cuisine roumaine, La, Erastia Peretz
Recettes et propos culinaires, Soeur Berthe
Recettes pour homme libre, Lise Payette
Recettes de Soeur Berthe — été, Soeur Berthe
Recettes de Soeur Berthe — hiver, Soeur Berthe
Recettes de Soeur Berthe — printemps, Soeur Berthe
Une cuisine toute simple, S. Monange, S. Chaput-Rolland
Votre cuisine madame, Germaine Gloutnez

DOCUMENTS ET BIOGRAPHIES

100 000ième exemplaire, Le, J. Dufresne, S. Barbeau
40 ans, âge d'or, Eric Taylor
Administration en Nouvelle-France, Gustave Lanctôt
Affrontement, L', Henri Lamoureux
Baie James, La, Robert Bourassa
Cent ans d'injustice, François Hertel
Comment lire la Bible, Abbé Jean Martucci
Crise d'octobre, La, Gérard Pelletier
Crise de la conscription, La, André Laurendeau
D'Iberville, Jean Pellerin
Dangers de l'énergie nucléaire, Les, Jean-Marc Brunet
Dossier pollution, M. Chabut, T. LeSauteur
Énergie aujourd'hui et demain, François L. de Martigny
Équilibre instable, L', Louise Deniset
Français, langue du Québec, Le, Camille Laurin
Grève de l'amiante, La, Pierre Elliott Trudeau
Hiérarchie ethnique dans la grande entreprise, Jean-Marie Rainville
Histoire de Rougemont, L', Suzanne Bédard
Hommes forts du Québec, Les, Ben Weider
Impossible Québec, Jacques Brillant
Joual de Troie, Le, Marcel Jean
Louis Riel, patriote, Martwell Bowsfield
Mémoires politiques, René Chalout
Moeurs électorales dans le Québec, Les, J. et M. Hamelin
Pêche et coopération au Québec, Paul Larocque
Peinture canadienne contemporaine, La, William Withrow
Philosophie du pouvoir, La, Martin Blais
Pourquoi le bill 60? Paul Gérin-Lajoie
Rébellion de 1837 à St-Eustache, La, Maximilien Globensky
Relations des Jésuites, T. II
Relations des Jésuites, T. III
Relations des Jésuites, T. IV
Relations des Jésuites, T. V

ENFANCE ET MATERNITÉ

Enfants du divorce se racontent, Les, Bonnie Robson

Famille moderne et son avenir, La, Lynn Richards

ENTREPRISE ET CORPORATISME

Administration et la prise, L', P. Filiatrault, Y.G. Perreault

Administration, développement, M. Laflamme, A. Roy

Assemblées délibérantes, Claude Béland

Assoiffés du crédit, Les, Fédération des A.C.E.F. du Québec

Coopératives d'habitation, Les, Murielle Leduc

Mouvement coopératif québécois, Gaston Deschênes

Stratégie et organisation, J.G. Desforges, C. Vianney

Vers un monde coopératif, Georges Davidovic

GUIDES PRATIQUES

550 métiers et professions, Françoise Charneux Helmy

Astrologie et vous, L', André-Pierre Boucher

Backgammon, Denis Lesage

Bridge, notions de base, Denis Lesage

Choisir sa carrière, Françoise Charneux Helmy

Croyances et pratiques populaires, Pierre Desruisseaux

Décoration, La, D. Carrier, N. Houle

Des mots et des phrases, T. I, Gérard Dagenais

Des mots et des phrases, T. II, Gérard Dagenais

Diagrammes de courtepointes, Lucille Faucher

Dis papa, c'est encore loin?, Francis Corpatnauy

Douze cents nouveaux trucs, Jeanne Grisé-Allard

Encore des trucs, Jeanne Grisé-Allard

Graphologie, La, Anne-Marie Cobbaert

Greffe des cheveux vivants, La, Dr Guy, Dr B. Blanchard

Guide de l'aventure, N. et D. Bertolino

Guide du chat et de son maître, Dr L. Laliberté-Robert, Dr J.P. Robert

Guide du chien et de son maître, Dr L. Laliberté-Robert, Dr J.P. Robert

Macramé-patrons, Paulette Hervieux

Mille trucs, madame, Jeanne Grisé-Allard

Monsieur Bricole, André Daveluy
Petite encyclopédie du bricoleur, André Daveluy
Parapsychologie, La, Dr Milan Ryzl
Poissons de nos eaux, Les, Claude Melançon
Psychologie de l'adolescent, La, Françoise Cholette-Pérusse
Psychologie du suicide chez l'adolescent, La, Brenda Rapkin
Qui êtes-vous? L'astrologie répond, Tiphaine
Régulation naturelle des naissances, La, Art Rosenblum
Sexualité expliquée aux enfants, La, Françoise Cholette-Pérusse
Techniques du macramé, Paulette Hervieux
Toujours des trucs, Jeanne Grisé-Allard
Toutes les races de chats, Dr Louise Laliberté-Robert
Vivre en amour, Isabelle Lapierre-Delisle

LITTÉRATURE

À la mort de mes vingt ans, P.O. Gagnon
Ah! mes aïeux, Jacques Hébert
Bois brûlé, Jean-Louis Roux
C't'a ton tour, Laura Cadieux, Michel Tremblay
Coeur de la baleine bleue, (poche), Jacques Poulin
Coffret Petit Jour, Abbé J. Martucci, P. Baillargeon, J. Poulin, M. Tremblay
Colin-maillard, Louis Hémon
Contes pour buveurs attardés, Michel Tremblay
Contes érotiques indiens, Herbert T. Schwartz
De Z à A, Serge Losique
Deux millième étage, Roch Carrier
Le dragon d'eau, R.F. Holland
Éternellement vôtre, Claude Péloquin
Femme qu'il aimait, La, Martin Ralph
Filles de joie et filles du roi, Gustave Lanctôt
Floralie, où es-tu?, Roch Carrier
Fou, Le, Pierre Châtillon
Il est par là le soleil, Roch Carrier
J'ai le goût de vivre, Isabelle Delisle
J'avais oublié que l'amour fût si beau, Yvette Doré-Joyal
Jean-Paul ou les hasards de la vie, Marcel Bellier
Jérémie et Barabas, F. Gertel
Johnny Bungalow, Paul Villeneuve
Jolis deuils, Roch Carrier
Lapokalipso, Raoul Duguay
Lettre à un Français qui veut émigrer au Québec, Carl Dubuc
Lettres d'amour, Maurice Champagne
Une lune de trop, Alphonse Gagnon
Ma chienne de vie, Jean-Guy Labrosse
Manifeste de l'infonie, Raoul Duguay
Marche du bonheur, La, Gilbert Normand
Meilleurs d'entre nous, Les, Henri Lamoureux
Mémoires d'un Esquimau, Maurice Métayer
Mon cheval pour un royaume, Jacques Poulin
N'Tsuk, Yves Thériault
Neige et le feu, La, (poche), Pierre Baillargeon

Obscénité et liberté, Jacques Hébert
Oslovik fait la bombe, Oslovik
Parlez-moi d'humour, Normand Hudon
Scandale est nécessaire, Le, Pierre Baillargeon
Trois jours en prison, Jacques Hébert
Voyage à Terre-Neuve, Comte de Gébineau

SPORTS

Baseball-Montréal, Bertrand B. Leblanc
Chasse au Québec, La, Serge Deyglun
Exercices physiques pour tous, Guy Bohémier
Grande forme, Brigitte Baer
Guide des sentiers de raquette, Guy Côté
Guide des rivières du Québec, F.W.C.C.
Hébertisme au Québec, L', Daniel A. Bellemare
Lecture de cartes et orientation en forêt, Serge Godin
Nutrition de l'athlète, La, Jean-Marc Brunet
Offensive rouge, L', G. Bonhomme, J. Caron, C. Pelchat
Pêche sportive au Québec, La, Serge Deyglun
Raquette, La, Gérard Lortie
Ski de randonnée — Cantons de l'Est, Guy Côté
Ski de randonnée — Lanaudière, Guy Côté
Ski de randonnée — Laurentides, Guy Côté
Ski de randonnée — Montréal, Guy Côté
Ski nordique de randonnée et ski de fond, Michael Brady
Technique canadienne de ski, Lorne Oakie O'Connor
Truite, la pêche à la mouche, Jeannot Ruel
La voile, un jeu d'enfant, Mario Brunet

Imprimé au Canada/Printed in Canada

01